Miguel Angel P

L'épopée

série

Liv

This is a work of fiction. Similarities to real people, places, or events are entirely coincidental.

L' ÉPOPÉE DU JAGUAR

First edition. August 9, 2023.

ISBN: 979-8223182818

Written by Miguel Angel Puerta.

Aux peuples autochtones du
Sierra Nevada de Santa Marta
et son combat pour sauver la planète

AVANT-PROPOS

100 siècles depuis le temps anciens

La bête venait de patrouiller dans ce ciel gris autrefois constellé d'étoiles. Un ciel terne, où brillait autrefois le soleil des courses. Les dieux bestiaux avaient comblé le vide où Mukura s'était autrefois tenu : le monde des oiseaux, avec une mer écumante de vagues déchaînées.

Lorsque la lumière éternelle s'est manifestée illuminant l'abîme où Kabala avait jeté ce tombeau d' ambre, Tout a explosé dans la lumière qui a illuminé les mondes antiques. Les bêtes sont mortes ou se sont transformées en poussière sous l'effet de cette lumière.

Dans la faille, les dieux bestiaux se sont réveillés avec l'intention de détruire le monde ancestral.

La nouvelle bête naquit de l'œuf d'obsidienne à l'appel du dieu primordial et regarda confus les dieux bestiaux qui l'entouraient.

« Va apprendre tout ce qui est écrit sur ton origine sur les parois de la grotte et reviens avec nous pour que tu saches quel est ton destin, disait le dieu primordial qui avait plus de cornes que les autres dieux sur la tête.

La bête nouvellement créée obéit. Il se rendit à la caverne et regarda les images et les glyphes peints sur le mur par les anciens dieux. Elle a vu une autre bête semblable à elle cracher des bouffées de feu sur un monde. Alors il comprit que cette bête était sa mère. Les dieux, la voyant revenir confuse, lui donnèrent la parole pour exprimer sa pensée.

— Ma mère où ? est-ce ? demanda la bête après avoir bégayé un moment .

« Hukui l'a tuée et a volé la pebble d'ambre, dit le dieu primordial.

— et où C'est Hukui ? demanda la bête.

— Il fragmenté pour entrer dans chacune des races mourantes. Il a laissé une graine pour qu'un autre être comme lui puisse vaincre les ténèbres et nous en cette période de ténèbres, a déclaré le dieu bestial

— Donnez-moi tout le pouvoir dont vous disposez et j'exécuterai l'ordre de tuer ce nouveau suprême et de détruire son monde, dit la bête.

— Vous devez d'abord récupérer la pebble d'ambre car avec lui le suprême peut créer de nouveaux mondes et de nouvelles races.

— Nous voulons que la lumière éternelle revienne : elle appartient à nos ancêtres qui nous ont appris à haïr la lumière du soleil et des étoiles, disaient ces dieux.

Les dieux de la crevasse l'ont chargée de pouvoir, et la bête est partie pour la montagne immortelle.

Kabala n'avait pas forme, se déplaçait dans l'obscurité comme une feuille emportée par le vent. Il est devenu très agile à l'intérieur de cet épais brouillard, essayant de trouver une fissure pour entrer et vaincre cette obscurité. Il voulait donner de la lumière à ce ciel qu'il voyait en rêve sous la forme d'un soleil jaguar.

Après que la lumière ait été décrétée par Kabala, qui coupa les ténèbres en deux avec son épée immortelle, il y eut un moment de silence.

Kabala atterrit sur l'un des contreforts de la montagne. Il l'a fait en prenant la forme d'un ancien humain. Ce n'était pas du vent comme son père Hukui quand il voulait se cacher. Pas même un condor quand il a survolé ce vide de la création. Il a gardé certaines de ses caractéristiques, par exemple les ailes qui le rendaient encore plus rapide.

La bête a atterri près d'un monticule et l'a fait d'une manière maladroite.

— Je vois qu'il a l'air différent de ton père, j'ai toujours voulu ressembler physiquement à ma mère, mais les dieux m'ont donné cette forme et même si c'est un peu encombrant de se battre avec des suprêmes qui sont plus petits, j'aime il, ils ont donné presque tous leurs pouvoirs, dit la bête.

L'apparence de Kabala était celle d' un être ancien. Ses ailes se repliaient doucement derrière son dos pour ne pas gêner. Il prit à deux mains l'épée aux mille ans de forgeage, héritée de son père. Ses pieds étaient la seule chose qui restait palmée, mais ils n'entravaient pas ses mouvements. lors de la préparation du combat.

La bête, pour sa part, était descendue du monticule et avait levé son épée trempée par les dieux bestiaux dans les fournaises de la fente.

Kabala a dû faire la dernière tentative. Malgré l'énormité de la bête, la tuer était le seul moyen de l'empêcher de détruire ce que la lumière avait illuminé et qui était caché par ce manteau de ténèbres. Elle devait d'abord essayer de lui parler comme ses pères, les forgerons, le lui avaient appris.

— Dites-moi votre nom, a demandé Kabala.

— Les dieux du rift qui m'ont créé m'ont chuchoté mon nom à l'oreille et tu ne le sauras jamais, mais si tu me dis le tien je ferai peut-être une exception.

— Je ne te dirai pas non plus la mienne, mais si tu me dis la tienne d'abord, peut-être que je te laisserai vivre.

La bête commença à bégayer et avança , visant la poitrine de Hukui avec cette griffe aux doigts pointus.

— Rendez la pebble d'ambre qui appartient aux dieux des crevasses », dit la bête.

— Les dieux t'ont menti, ce tombeau a été récolté par le créateur du premier univers que ta mère a détruit et mon père Hukui l' a récupéré et avec lui a créé le monde ancestral.

La bête elle éclata d'un rire qui la fit presque pleurer.

— Ceux qui m'ont créé m'ont écrit que vos ancêtres manipulaient cette lumière sans permission.

La moitié des yeux de la bête étaient daltoniens après avoir été exposés à des milliers d'années d'obscurité, et l'autre moitié avait des cataractes, mais elle avait une paire d'yeux parfaits et pouvait voir ce que Kabala essayait de faire, essayant de la tromper.

Kabala tremblait à la proximité de la bête, mais pas de peur mais de fascination. La bête n'était pas aussi horrible qu'il le pensait. La bête semblait avoir été touchée dans le passé par une lumière éternelle.

Kabala leva son épée pour percer la bête. La peau de la bête était dure et il n'y avait aucune arme dans l'univers capable de percer , mais cette épée était spéciale.

Lorsque les deux épées se sont heurtées, le fracas a été tel qu'il a poussé les deux combattants dans le vide. Ils dévalèrent le flanc de la montagne jusqu'à ce qu'ils soient presque à l'embouchure de l'entrée de la crevasse.

Kabala a été acculé près de l'entrée de la grotte et la bête qui s'était remise de la chute en a profité pour attaquer car Kabala a perdu le pouvoir que la montagne lui donnait.

La bête a réussi à blesser mortellement Kabala. Il fit un dernier effort et réussit à blesser également la bête, qui retourna dans la crevasse et tomba sans bras sur l'humanité des dieux qui l'attendait.

Kabala inconscient et mourant, tomba au pied de la montagne et fut secouru par le buma.

dieux bestiaux, apprenant que Kabala était toujours vivant et protégé par le buma et le pouvoir de la montagne, rassemblèrent toute l'énergie noire qu'ils purent et la mirent dans les poignées de leurs épées et de leurs bâtons.

C'étaient des dieux bestiaux couverts d'écailles et de peau de cuivre, avec plusieurs paires d'yeux rouges, avec des bouches avec de grands crocs et d'énormes queues qui se sont réveillés de leur sommeil quand ils ont entendu le cri d'agonie de la bête et sont sortis de la fissure et de cette mer. mousseuse et se dirigea vers la montagne de Gandua.

Les dieux bestiaux se sont déchaînés avec tout ce qui essayait de faire tomber cette montagne qui dans le passé a émergé de la mer des ténèbres lorsque la bête a fait tomber le premier univers, mais la montagne a résisté à toutes les attaques.

Un dieu se jeta furieusement contre la montagne pour la faire tomber avec ses cornes, mais il rebondit et fit claquer ses cornes. un autre dieu il a essayé de le détruire par le feu, mais la montagne a résisté à toutes les attaques. Fatigués, les dieux retournèrent vers la mer écumante pour se cacher du pouvoir de la montagne.

Kabala, après s'être remis de ses blessures, savait qu'il devait tuer ces dieux et leurs bêtes pour que la montagne vive et il monta au sommet avec les suprêmes qui sortirent finalement pour l'aider.

Kabala a atterri à l'embouchure de la faille et s'est frayé un chemin à l'intérieur sans être vu. C'était un piège. Les dieux bestiaux ont tissé un manteau de ténèbres pour que Kabala ne puisse plus ressortir. Son épée et son bâton lui ont été enlevés et bien que le monde ancestral ne soit pas tombé dans le vide comme Mukura. La lumière des étoiles s'épuisait tandis que la lumière éternelle disparaissait dans la grotte.

Chapitre 1
La montagne Gandua

L'aube sur la montagne de Gandua a été rythmée par les chants joyeux des oiseaux de diverses lignées qui ont volé à travers les forêts de montagne, à travers les vallées et les ravins. Ces mélodies ont pénétré Kayla, remplissant son cœur d'une soudaine chaleur et de l'amour du foyer.

Kayla se tenait au milieu du verger qui jouxtait la pension des cantonniers où elle logeait. Il hésita sans savoir distinguer la coriandre qu'il avait déjà mise dans le panier et le persil que le maître cuisinier lui avait demandé d'apporter.

Kayla leva les yeux et regarda le ciel qui s'éclaircit soudain comme s'il était midi et il y avait la silhouette du condor aux ailes d'argent qui tendait la main pour s'arrêter au-dessus de la pension. La lumière qui se déversait des ailes illuminait Kayla comme une petite lune. Le condor la regardait fixement et malgré la distance elle pouvait le voir clairement.

Ces types de condors n'étaient pas courants dans les montagnes et appartenaient à la première ère. Ils ont disparu lorsque les dieux reptiliens ont détruit le premier univers et Kayla le savait grâce aux contes que les maîtres ont racontés à propos de Mukura, l'univers des oiseaux.

Quand elle avait douze ans, Kayla a commencé à voir cette créature voler partout dans la montagne et il semblait qu'elle était la seule à pouvoir la voir et c'était le jour où sa mère dans son ancien village lui a dit au revoir parce qu'elle avait atteint le dernière transcendance et ne la verrait plus comme une montagnarde mais comme un esprit ancestral qui pourrait apparaître n'importe où sur la montagne et à tout montagnard ou montagnarde qui l'invoquerait.

La mère de Kayla était une protectrice de la forêt de Tapir. Il y a un an, son père avait atteint la transcendance et en tant qu'esprit et était monté au sommet de la montagne pour surveiller et protéger les forêts où vivaient les ours à lunettes. Elle seule pouvait le voir en ours à lunettes lorsqu'elle l'invoque non pas en tant qu'esprit protecteur mais en tant que son père pour lui demander conseil.

Le condor avait disparu quand il souleva enfin le panier rempli d'ordre du chef cuisinier et ferma la porte de la grange que les maîtres avec l'aide des apprentis avaient transformée en ce verger.

Kayla s'est dirigée vers la porte de la pension à côté de la grange et, alors qu'elle se tenait là, elle s'est souvenue de son arrivée il y a trois ans lorsque sa mère lui a dit au revoir de la laisser en tant qu'alpiniste, lui souhaitant qu'elle atteindrait bientôt sa signification . . Ce jour-là, comme le dit la tradition, elle quitta sa maison et son village et prit la route qui la conduirait à cet éperon de la montagne où elle put voir cette pension construite en Gandua et palmier finement tressé. Chaque matin chants et prières se faisaient entendre dont l'écho se répandait dans toute la montagne.

Il se souvient du jour où il est arrivé devant la porte de cette auberge. Hésitante, elle se tenait là, tenant son vieux sac à dos contre sa poitrine avec les quelques objets qu'elle possédait. La porte s'ouvrit et le visage souriant d'un des professeurs l'accueillit et l'étreinte des aspirants à la transcendance et la chaleur de la pension la firent se sentir à nouveau chez elle.

Il revint à lui de ses souvenirs et la porte s'ouvrit , révélant le visage peu amical du vieux cuisinier qui lui reprocha son retard et le fit sourire.

Après les dures épreuves que les enseignants de la voie et le buma ont endurées pour trouver cette lumière que le suprême avait perdue dans leur ambition de détruire les ténèbres.

La nouvelle qu'un être capable d'illuminer les nouvelles terres d'une lumière nouvelle viendrait se répandre dans les terrains d'entraînement et encourageait les apprentis.

Après le dîner, les apprentis sont allés se coucher. L'enseignant principal a demandé à Kayla de rester un moment.

Ils se sont assis sur l'une des chaises de la salle à manger et Kayla a raconté son expérience avec le condor.

« J'ai raconté votre expérience au buma de la montagne et il était très content, il m'a demandé de vous dire de lui rendre visite demain", lui a dit l'enseignant qui était son guide spirituel.

La Buma Navy avait fait venir Kayla et c'était un privilège qu'un être aussi puissant la remarque.

— Je ne sais pas si je serai à la hauteur de l'occasion, si je pourrai même parler au buma, a déclaré Kayla.

— Le buma est un être simple et a attendu que la vision se manifeste chez l'un des aspirants, il la considère comme un signe.

Kayla s'est endormie avec mille questions et n'arrivait presque pas à s'endormir.

Le lendemain matin, après le petit déjeuner, les apprentis et les professeurs ont dit au revoir de la porte de la pension et elle a commencé son chemin vers le sommet de la montagne.

Kayla gravit la pente qui séparait le temple de la hutte située au sommet de la montagne où résidait le buma. Il s'arrêta à l'une des terrasses qui bordaient le chemin que les maîtres et les apprentis avaient planté de diverses plantes alimentaires.

La pente était raide et le chemin était difficile à parcourir. Il a atteint le sommet de cet éperon de la montagne, il était presque à court d'air. Il voyait le lac embourbé dans une épaisse brume blanchâtre à cette heure de la matinée. Le soleil ne pouvait pénétrer les nuages denses qui entouraient cette partie de la montagne.

Épisode 2
Le Buma

Il y avait trois cabanes dans ces contreforts occupés par les autorités de la montagne, et Kayla se dirigea vers la plus grande des trois. Retenant son souffle et son excitation, elle atteignit la porte et frappa doucement.

La voix du buma se fit entendre du fond de la cabane.

— Entrez , c'est ouvert.

Kayla poussa timidement la porte, et la lueur de la pièce l'éblouit. Le buma était dans la pièce principale près de la cheminée en pierre et assis en position de lotus sur une natte de palmier finement tissée et il s'éleva au-dessus de la pièce jusqu'à ce qu'il touche presque le plafond et se baisse vers la natte. Il ouvrit les yeux et sourit au fille.

— Vas-y, Kayla, et assieds-toi sur le sac.

Kayla s'assit en position du lotus devant le buma et le fixa. Il ne savait pas s'il était devant cet ermite de diverses transcendances ou s'il était le même condor qu'il voyait quand il regardait le ciel le matin.

L'intérieur était confortable et dans la cheminée brûlaient des pierres chaudes qui encourageaient un feu constant qui était distribué dans toute la cabine.

Il était interdit par la loi de l'origine de la montagne de brûler du bois car des esprits d'ancêtres anciens y vivaient et réglaient les fonctions de la montagne. Les esprits qui contrôlent les vents, les naissances de l'eau, de l'oxygène, même la chose la plus insignifiante avaient la vie et faisaient partie d'un tissu naturel qui ne pouvait être brisé.

—Comme tu as grandi, dit le buma, « il n'y a pas longtemps tu courais autour du temple pour chasser les chèvres ou les poulets et maintenant regarde toi fille, quel âge as-tu?

— 1 5 années physiques buma. Mais de conscience et de clarté, presque un millénaire et presque un siècle d'intelligence et de perception.

L'apparition du buma auquel tous les esprits qui habitent les forêts de montagne appelant le buma, était celle d'un alpiniste de petite taille et au corps massif, à la peau brune et aux cheveux noirs raides qui lui atteignaient les épaules recouvertes d'un bonnet d'apparat qui se terminait par un point et qui ressemblait au point où la montagne se terminait.

Le bonnet en tricot de coton blanc ne le protégeait pas seulement du froid des hautes montagnes. Cela empêchait également tout reptile de pénétrer ses pensées lorsqu'il descendait au bas de la montagne.

Une large ceinture de tissu plus épais ornée de glyphes violets retenait un pantalon et une chemise de nuit à manches larges. A la ceinture pendaient de petits sacs en tissu contenant toutes sortes de feuilles et de pollen que le buma mâchait en permanence , c'était sa seule nourriture, à part l'eau du lac qu'il stockait dans une cantine qui se trouvait sur une petite table à côté de son bâton de commande qu'elle le distinguait comme la première autorité de la montagne.

Un sac à dos violet avec une bordure blanche était accroché à un rebord derrière la porte. Ces couleurs étaient la couleur du groupe ethnique buma qui appartenait aux créatures qui transcendaient en tant qu'esprits des plantes et des arbres et qui étaient typiques des bumas.

Le buma ne s'est présenté devant Kayla en aucune circonstance. En tant que buma, il avait acquis la plus haute transmutation spirituelle et devait habiter en tant qu'esprits au sein des grands frailejones des paramos. Son Esprit pourrait habiter un arbre ou une plante. Il avait acquis une autre transcendance pour maîtriser les vents de la montagne.

Les maîtres du chemin ne se sont transmutés qu'en animaux ancestraux. Ils ne pouvaient pas le faire comme les plantes ou les oiseaux. Certains aiment peut-être les insectes. Ils avaient dit à Kayla qu'ils ne savaient pas à qui appartenait cette transmutation qu'elle seule voyait dans la figure d'un condor de haute montagne dont l'apparence physique avait disparu il y a des années lorsque les cieux se sont effondrés.

— Les maîtres m'ont dit que tu as commencé à avoir des visions sur les bêtes, dit le buma, sortant Kayla de ses pensées, « depuis quand ces révélations te sont-elles venues ?"

— Mes parents m'ont dit que tout a commencé quand j'avais six ans. Un matin, ils ne m'ont pas trouvé dans ma chambre et ils sont allés dans la forêt pour me chercher. Ils m'ont trouvé endormi étreignant un vieil arbre. Il semble que l'esprit de cet arbre soit entré en moi pour me donner cette vision que j'ai eue cette nuit-là.

— Parlez - moi de votre expérience, a déclaré le buma

— Depuis ce temps, je ne pouvais pas dormir et je suis allé dans cette clairière où je pouvais voir les étoiles et les mondes ancestraux. C'était jusqu'à l'âge de cinq ans. Puis mes parents ont transcendé après plusieurs transmutations et ont décidé de m'amener chez les professeurs pour compléter mon éducation. Tout allait bien jusqu'à il y a quelques jours quand les visions des bêtes me sont venues. Plus le ciel était sombre, plus la puissance de ma vision augmentait et je pouvais voir les étoiles scintiller et je pouvais même les compter.

« À cet âge-là, dit le buma, j'ai eu ma première vision et mes parents ont réalisé que j'étais destiné à être buma et ils m'ont préparé à cela.

« Ma mère », a déclaré Kayla, « une tisserande née dans le village de tapir, elle était autrefois intéressée à être buma et à veiller à la santé et à la sécurité de tous sur la montagne. Mais elle a accouché avant de terminer ses transmutations et depuis lors, elle a placé ces espoirs en moi et pour cela, elle a commencé à me préparer dès mon plus jeune âge.

Kayla était une jeune femme mince à la peau brune avec des cheveux noirs brillants jusqu'à la taille qu'elle tenait en laisse lorsqu'il s'agissait de s'entraîner avec les maîtres.

Kayla s'était spécialisée avec l'aide des maîtres de la montagne dans la lecture de tout type de texte, aussi crypté qu'il soit à l'extérieur. Il pouvait dessiner d'anciens griffons et pouvait lire les signes du ciel comme ses ancêtres, qui étaient des lecteurs de temps.

« Je sais que tu peux, dit le buma, traverser les ténèbres qui recouvrent la vallée et voir les dieux bestiaux. Cela signifie seulement que la bête a perdu son pouvoir après mille ans de silence et que le moment est venu pour un nouveau Suprême de mâcher les entrailles des ténèbres et de monter au ciel pour l'illuminer de sa lumière éternelle, inondant la terre de énergie terres des races

Kayla était pensif par les paroles du buma

— J'ai une tâche pour vous : vous utiliserez ce pouvoir pour tout savoir sur cette bête que vous avez vue lorsque vous avez activé votre vision .

— je le ferai avec plaisir Kayla a dit .

« Ils disent que la bête a écrit des poèmes sur les ténèbres, mais nous n'avons pas d'écrits de sa période d'introspection quand il ne faisait qu'un avec les ténèbres, a déclaré Kayla.

— Je vois que les enseignants de la voie vous ont bien enseigné et je crois que vous êtes prêt pour la tâche, a déclaré le buma.

— Je pense que je suis prêt à aider de toutes les manières possibles . Les maîtres m'ont parlé de la création des ultimes et de leurs guerres avec les ténèbres.

— La montagne a toujours existé, sa lumière ne vient ni des ténèbres ni de la lumière éternelle, cette lumière qui est en toute créature qui habite la montagne et de tous ceux qui croient en la loi de l'origine de la protection et qui rend égal à tous créatures, qu'elles soient des ténèbres ou du ciel, dit le buma et poursuivit :

— En tant que haute autorité de la montagne, j'ai le devoir de protéger cette montagne et tous les êtres qui l'habitent, par conséquent, votre aide me sera utile.

— Je ferai de mon mieux pour ne pas te laisser tomber. Monsieur, et j'apprécie votre confiance.

— Quand j'ai vu la clarté briller à nouveau sur l'autel du temple et que l'ambre s'est allumé à nouveau et à l'intérieur j'ai vu briller le petit tombeau, j'ai compris que la puissance de la montagne était revenue renouvelée.

Kayla est retournée au cabine satisfaite, chantant en cours de route, ses parents devraient sûrement être fiers de ce qu'elle avait accompli.

chapitre 3
Le temple du jaguar

Le temple était une structure rectangulaire construite en dalles de pierre de lapis-lazuli. Sa lumière bleu-vert brillait dans l'obscurité profonde. Ce temple n'était pas ancré à une surface solide. Il a été construit par les samas pour voler à travers l'infinité de la création.

Le temple du jaguar était l'une des quatre reliques de l'épopée comme la montagne : que la bête et ses créatures ne pouvaient détruire, elle apparaît et disparaît dans un monde de ténèbres. Il peut prendre n'importe quelle forme et bien qu'il soit construit d'un matériau solide : la pierre de lapis-lazuli, il ne peut pas être transformé par ces créatures en poussière ou en ténèbres. À l'intérieur vivent des samas dotés de pouvoirs au-delà du temps et de l'espace, ce qui leur permet de restaurer un ciel et une terre qui conservent les lignées des races détruites par le pouvoir des ténèbres.

Les samas sont convoqués par le buma pour l'aider à détruire une bête qui ne permet pas que cette partie du ciel soit éclairée d'une lumière pérenne.

À l'intérieur du temple, des personnages d'une époque inconnue passaient leurs têtes d'oiseaux à travers l'une des lucarnes du temple.

« Depuis combien de temps volons-nous dans cet abîme de ténèbres ? demanda l'un des trois habitants de ce temple qui avait la figure d'un humain à tête de pélican.

— On ne sait pas exactement, d'ailleurs cette obscurité ne semble pas avoir de fin et la lumière de la montagne n'apparaît nulle part selon les coordonnées. C'est l'endroit où nous devrions voir sa lumière qui nous guiderait jusqu'à ce que nous trouvions le plus haut sommet — dit le plus petit des samas , un glyphe à tête de flamant rose .

« Cette obscurité est si épaisse que nos yeux d'aigle pouvaient à peine voir à quelques mètres », disait celui qui semblait le plus solide des trois et qu'on appelait le savant. Il avait deux mains comme un humain de la première ère et deux jambes qui se terminaient par des pattes d'oiseau.

— Utilisons des extensions visuelles pour élargir notre vision.

Soudain, le temple a commencé à trembler et à tomber de manière incontrôlable dans cet abîme.

— Quelque chose de très gros nous frappe et nos forces ne suffisent pas à maintenir le temple en place.

Ils sont tombés à travers une fissure dans ce vide vers un fond marécageux, les samas ont couru vers l'autel du temple et se sont joints à la prière et ont réussi à stabiliser le temple.

Le temple a commencé à monter à travers cette fissure où il avait été poussé par une force supérieure et a pris de la hauteur jusqu'à ce qu'il s'éloigne de ce vide jusqu'à ce qu'il revienne à l'endroit où le signal de la montagne était fort.

— Le mieux est de repartir par où nous sommes venus. Peut-être que cette montagne a déjà été détruite par la même créature qui nous a jetés dans cette crevasse, dit le plus petit des samas.

— Faisons un autre tour des coordonnées que le messager nous a données.

« Je vois comme une flamme brille au loin », dit le griffon à tête de hibou.

Le temple se rapprochait de cette petite lumière qui devenait plus visible à ses yeux et non aux yeux de la bête.

— Serait-ce la lumière de la montagne ? demanda le glyphe à tête de flamant rose.

— La lumière sur la montagne est d'un bleu profond, si je comprends bien, et cette lueur est argentée, a déclaré le sama à tête de hibou.

« C'est peut-être le buma », dit un troisième sama à tête de faucon
.

— Je ne pense pas, dit celui à tête de flamant rose, «le buma ne peut pas voler dans cette obscurité, d'après ce que nous a dit le messager.

« Je vois un oiseau avec une envergure de grande envergure et il semble avoir l'apparence d'un condor", a déclaré un quatrième sama qui avait une tête de flamant rose.

— Les condors se sont éteints à la première ère, mais certains ont survécu sur la montagne et en signe de gratitude ils portent parfois le buma pour la création, mais ils n'osent pas voler dans les ténèbres.

« Je vois une énorme bête se diriger vers le condor et je suis convaincu que c'est une bête, a déclaré le sama à tête de hibou.

– C'est peut-être le même qui nous a poussé dans cette fissure et j'essaie de l'enterrer là-bas .

— Allez à l'autel et attisez le feu éternel. Prenez dix tumas de mon collier pour donner plus de force au temple. Nous avons besoin de plus de force et de vitesse pour frapper la bête avant qu'elle ne parvienne à atteindre le condor — dit le sama qui semblait avoir une tête et un corps de faucon à l'humanité éteinte.

Le glyphe à tête de hibou a fait ce que le chef lui avait dit : il a placé les tombes dans le bac en pierre où le feu brillait. Immédiatement, le temple prit de l'élan et se lança contre la bête qui était cinq fois plus grosse que le temple et le frappa à la poitrine, le jetant dans l' abîme.

Après avoir poussé la bête dans la crevasse à travers l'abîme sans fin, ils ont suivi la lumière argentée du condor. Bientôt, ils virent le reflet de la lumière de la montagne qui augmentait sans la pression de la bête, c'était un spectacle majestueux et le condor disparut dans ce reflet.

Ils ont atterri sur l'un des sept sommets de cette montagne dans une petite vallée et leur temple était ancré à cette montagne comme s'il lui avait toujours appartenu. Les samas croyaient que les habitants de cette montagne pouvaient être considérés comme ces ancêtres peints dans cette grotte et ils imitaient leurs formes.

Chapitre 4
Les samas

Les Samas étaient les seuls à avoir le pouvoir de traverser la mémoire et le temps dans lequel se meuvent les créatures qui peuplent le monde ancestral.

Ils n'ont pas été créés par la lumière éternelle, ni ciselés par les ténèbres, ils sont venus d'un autre moment de la création, où il n'y avait pas de temps.

Ils sont tombés du temps des épopées sur l'univers raté de Mukura, dans son temple construit avec la pierre de l'origine première. Ils ont traversé les villes du ciel des autres épopées détruites par la bête.

Les samas étaient des restaurateurs chargés d'équilibrer l'univers et de conserver la lumière pérenne que cet équilibre lui donnait.

A l'intérieur du temple, les samas chantaient. Ils ont tissé des vêtements pour ressembler aux habitants de la montagne.

— Nous prendrons la forme d'un habitant de la montagne, ils ont une bonne physionomie et un aspect joyeux, dit Sagi.

Le buma les attendait accompagné de quelques professeurs. Quand les samas quittèrent le temple qu'ils laissèrent garé dans une grande place sur la montagne, ils se rendirent à la palmeraie où ils allaient loger.

Les buma, les enseignants et Kayla qui habitaient la montagne de Gandua, portaient des vêtements d'hiver avec des bonnets de laine et de grands sacs à dos où ils portaient toutes sortes de plantes qu'ils mâchaient pour que l'obscurité n'obscurcisse pas leurs pensées et qu'ils puissent voir l'avenir de la courses.

Voyant l'allure de cet être de la montagne et sa puissante énergie qui leur était inconnue, les samas s'inclinèrent avec respect devant l'être au visage de frailejón.

Les Buma les invitèrent à entrer dans la maloca au bord de ce lac paisible. Déjà assis autour du feu, buvant une boisson au maïs qui leur était servie dans des récipients d'origine végétale, ils écoutaient le récit du buma sur la bataille de Kabala avec les dieux bestiaux.

— Les premiers êtres créés par le toucher de la lumière éternelle , dit le buma— avaient la forme d'arbres et pouvaient voler et marcher dans le ciel de Malva illuminé par leur lumière intérieure. Certains s'enracinent volontiers dans les terres d'origine pour créer des forêts et des jungles luxuriantes pour protéger les premières races.

— Et ce sont ces races qu'il faut faire sortir des ténèbres ? demanda Sagi, chef des samas.

« Oui », dit le buma. Le monde antique est sombre sans le pouvoir de la lumière éternelle. Il tourne hors de contrôle sur son chemin vers la destruction et vous devez corriger votre trajectoire. C'est pourquoi je l'ai appelé.

Après avoir écouté le buma et son désir de faire briller la lumière éternelle dans cette partie de la création, les samas se retirèrent pour méditer dans leur temple qui ne rivalisait pas avec le temple du buma qui était une construction de bois indigènes et de palmiers, mais que le les artisans l'avaient tissé de telle manière qu'il avait l'air majestueux.

« Et comment pouvons-nous aider un être aussi puissant, nous les tisserands dont un enfant pourrait dénouer les nœuds, demanda un sama.

—Les ténèbres ne sont pas capables de se tisser dans le ciel, ni les mondes, ni les villes radieuses, comme le premier tisserand, mais ils ont créé une créature capable de dénouer les nœuds et le voile qui couvre la création afin que les mondes, les soleils et les étoiles s'effondrer sur la tête des races , a déclaré Sagi

A l'intérieur du temple, l'atmosphère était tendue. Les quatre Samas, assis autour du feu d'ambre dans une grande salle, conférèrent. Ils ont mâché ces feuilles de l'arbre de vie dont le jus leur a donné l'immortalité et ont bu l'eau de ce lac de visions caché dans la montagne bleue qui les a aidés à garder leurs pensées claires pour prendre des décisions comme celle qu'ils devaient prendre aujourd'hui.

Sagi a invité le buma à voyager avec eux jusqu'au temple afin qu'ils puissent voir les dégâts causés par la bête. À l'intérieur du temple, il serait en sécurité et là, la bête ne pourrait ni le voir ni le sentir.

« Autrefois, le ciel était éthéré, couvert d'un halo transparent, disait le buma aux samas.

« C'est Kabala qui a tissé ce ciel, mais il semble qu'il ne l'ait pas noué très serré , la bête a su deviner comment dénouer ces nœuds pour que les villes tombent dans le vide. La bête l'a transformé comme un rocher quand il a soufflé sur lui, se brisant immédiatement et tuant presque toutes les races.

— Alors toute la création est submergée dans cette mer de ténèbres, a demandé Sagi.

— Oui, avant que les races vivaient dans les cités transparentes qui pendaient de ce ciel et voyaient en dessous les terres où vivaient les bêtes. Quand l'origine a dissipé cette mer pour voir ce qu'il y avait là. Les bêtes quittèrent la mer et s'emparèrent de ces terres. C'est pourquoi nous devons restaurer ce ciel et ses cités célestes afin que les races retrouvent l'immortalité donnée par Kabala, dit le bouma.

— Ce ne sera pas facile, dit Sagi — nous devons d'abord vaincre cette bête dont vous dites qu'elle est responsable de la chute des villes et de l'effondrement des cieux, et nous devons trouver un tisserand pour tisser le manteau qui enveloppera l'épopée et ses mondes avec de nouveaux fils et de nouveaux nœuds que la bête ne connaît pas et ne pourra pas dénouer.

— Nous, les bumas de la montagne, ne pouvons pas laisser les dieux bestiaux voir notre lumière, car ce serait fatal pour la création. Tant que notre lumière brille, tout peut être refait. Si la bête connaît la signification de notre lumière, les ténèbres régneront pour toujours.

Le sama semblait inquiet. La tâche ne serait pas facile. Reconstruisez le ciel, l'ancien paradis perdu des races désormais emprisonnées dans les ténèbres et restaurez leur immortalité. C'était fou, mais le buma pensait que c'était possible.

— C'est une tâche pour les fous. Les plus sains d'esprit pourront devenir fous plus tôt simplement en leur disant en quoi consiste la mission. De plus, ils sont tous soumis aux croyances de la bête qui ne les laisse pas voir au-delà de leur nez, a déclaré Sagi à ses amis sama.

Les samas étaient à l'intérieur de la hutte du buma et ils étaient assis autour de ce feu et buvaient cette boisson que le buma leur avait donnée pour renforcer leur pensée et trouver un moyen de déjouer la bête pour sauver cette épopée.

Après y avoir réfléchi, dit Sagi, « nous avons vu qu'il faut qu'un nouveau suprême vienne à la vie du fond des ténèbres et apporte l'ambre là où il y a la lumière éternelle, sans cette lumière nous ne pourrons restaurer les terres et ramener les races de cette grotte où elles sont prisonnières afin qu'elles les occupent.

« Il faut mesurer le temps qu'il reste au monde ancestral, dit le buma.

Un calendrier de pierre marquant cinq cents ans avait déjà été pulvérisé pour faire place à un autre calendrier dont les sculpteurs n'avaient marqué que cent ans. Ces sculpteurs de diverses transmutations, choisis par le buma parmi les races les plus aguerries des montagnes, se rendirent très furtivement à la crevasse où dormait paisiblement la bête, croyant avoir tué Kabala l'origine et détruit son ciel absurde.

Ils comptaient les battements et les ronflements qui venaient de cet abîme et qu'ils pouvaient entendre s'ils posaient leurs oreilles de tapir au bord de cette fissure et pour chaque battement ou ronflement ils marquaient un jour sur la toile puis le traduisaient en pierre.

Le travail était dangereux et épuisant. Ainsi, ils ont pu marquer sur le calendrier: le moment où un nouveau suprême prendrait vie.

Chapitre 5
La grotte de Sewa

Le buma a emmené les samas dans la grotte pour leur montrer des images des dieux des ténèbres et de la bête qu'ils ont créée pour détruire le pouvoir ancestral. Il leur a montré quelques éléments de Kabala, qui pourraient servir d'inspiration dans le combat avec ces dieux.

Sur les murs de la grotte de Sewa étaient montrés les combats entre les grands qui ont mené avec les bêtes pour protéger cette création de cette obscurité et de ses créatures.

Glyphes peints sur les murs par la main droite des Suprêmes. Ils brillaient de couleurs fortes. Les images ont montré comment la bête du ruisseau a écrasé la première création en détruisant le monde des oiseaux et des arbres chanteurs. Tout était là, le début et la fin. Dessinés étaient les chemins que les jaguars devaient emprunter s'ils voulaient sauver les terres d'origine et les races avant que la bête n'arrive et ne s'assied sur le trône terrestre.

Dans une figure centrale peinte au plafond de la grotte et avec beaucoup de détails, on pouvait voir quatre potiers qui moulent les figures des futures races avec de l'argile.

L'un des tableaux montre comment un suprême plonge son épée dans l'obscurité et la divise en deux pour laisser entrer les rayons du soleil de Tulka

— Le Suprême naîtra comme l'a fait Kabala. Dans un pot en argile, dit Sagi.

« J'ai la boue prête. je l'ai sorti du fond du lac des visions et j'ai fait venir le meilleur potier et un maître faussaire du feu. J'ai le gène de la créature qui naîtra à l'intérieur de ce vaisseau dans l'obscurité, a déclaré le buma.

Les samas et les buma se dirigèrent vers une autre des chambres de la grotte où les artisans fabriquaient le récipient. Le feu brûlait et l'argile était soigneusement cousue.

Lorsque les Samas sont revenus à la grotte après quelques jours, ils ont rencontré les potiers et ont vu que leur argile était prête.

Sagi a choisi Avi le plus petit et espiègle des samas pour l'accompagner dans cette mission suicide.

Ils se trouvaient à l'intérieur d'une autre chambre de la grotte où de nombreux vaisseaux étaient entreposés.

— Et ce vase qui a l'air différent des autres, demanda Avi au potier.

— A l'intérieur se trouve le gène du nouveau suprême que le buma a mis à l'intérieur, a déclaré le potier nommé Mulay

— Lorsque tout sera prêt, veuillez nous appeler pendant que nous entrerons en méditation, a déclaré Sagi à Mulay.

Déjà dans le temple, Sagi et Avi ont commencé à revoir la stratégie pour descendre jusqu'à la fissure sans être vus par la bête.

Chapitre 6
Les tisserands de voile

Plusieurs semaines depuis l'arrivée des samas. Les montagnards se sont habitués à leur présence. Ceux-ci allaient et venaient de la hutte des Buma à la grotte de Sewa et la nuit ils retournaient au temple où ils se sentaient en sécurité.

Kayla était restée sur la montagne à la demande des Buma et n'était pas retournée à la pension avec les professeurs.

Le buma l'avait envoyée chez les tisserands qui avaient leur hutte en bois près du lac et sur la rive opposée à la hutte du buma. Kayla a appris à filer et à tisser avec la chef des tisserandes : Layla, qui s'est occupée de son éducation au tissage que tout aspirant buma doit maîtriser.

Les tisserands, environ cinq d'entre eux, étaient sur la rive de ce petit lac faisant des offrandes, faisant des paiements, chantant et élevant des prières à une divinité du lac, mère des tisserands.

Après le rituel, les tisserands dirigés par Layla ont commencé à tisser un voile. Le buma leur a confié ce travail pour protéger un nouveau ciel. Les tisserands rencontrèrent Kayla et installèrent leurs métiers à tisser et commencèrent leur journée de travail à l'ombre d'un grand arbre qui les gardait au frais pendant ces jours de tissage.

« Les nœuds doivent être solides, dit Layla, chef des tisserands, afin que lorsque le tissage s'élève dans notre ciel, les oiseaux des ténèbres ne puissent le percer ou défaire les nœuds avec leurs griffes acérées, et pour empêcher les rochers envoyés du fond des ténèbres tombent sur les temples ou sur les tours ou dans les parcs où nos enfants jouent et chantent.

— Qu'est-ce qu'on tricote maintenant ? demanda Kayla.

— Nous tissons les vêtements du nouveau suprême, celui qui vaincra les ténèbres et qui viendra du fond de la faille gouverner et stabiliser notre ciel ancestral. Nous tissons aussi une toile que le

Suprême étendra à travers les mondes et le soleil de notre système afin qu'ils ne retombent pas dans l'abîme et soient avalé par les ténèbres

Kayla a appris des tricoteuses, pas seulement comment tricoter. Il a entendu parler des Suprêmes. Les tisserands étaient versés dans la connaissance des codex et avec eux il compléta son éducation sur les sujets du suprême et des dieux de la crevasse.

Kayla s'est liée d'amitié avec l'un des samas. Avi : le plus jeune, comme il a dit qu'il s'appelait. Il est venu s'installer là où elle était. Il aimait la regarder tricoter pendant qu'il lui disait vos aventures.

Kayla a pris soin de transmettre avec sa vision la véritable identité de cet ancien esprit qui semblait provenir d'un autre univers où il n'y avait pas de temps. Il se présentait comme un montagnard parmi d'autres et elle, désireuse de cuisiner, voulait apprendre certaines choses de ce sama.

— Que tissent-ils ? Avi a demandé à Kayla.

« Les tisserands, tissent un nouveau manteau à fixer dans le ciel pour que rien ne tombe dans la mer des ténèbres. Ils tentent d'unir les soleils et les étoiles en récupérant l'énergie du Vang qui s'est propagée lors de l'explosion de Mukura. Ils attendent patiemment qu'un nouveau Suprême émerge des profondeurs de l'obscurité pour illuminer l'univers restauré par les samas et leurs chansons avec une lumière ambrée », a déclaré Kayla à Avi.

Les Suprêmes ont dessiné des glyphes dans d'anciennes grottes sur leur vision de la création, dont le thème central était l'origine. La vision des samas était en dehors du monde ancestral. Cela a intrigué Kayla.

— Nous n'imposons pas notre vision de notre monde aux races, nous voulons juste harmoniser et reconstruire l'univers pour le ramener au temps éternel où le suprême régnait et vainquait les bêtes, lui dit un jour Avi.

Kayla a entendu parler de leur départ du temple et est allée avec les tisserands et le buma pour les accompagner.

— Nous irons à la fissure, notre chef Sagi essaiera pour que le suprême puisse naître dans le sein des ténèbres. C'est dangereux et cela prendra du temps. Nous reviendrons. Je te le promets , lui avait dit Avi.

Dans les jours qu'ils ont passés à attendre l'arrivée des samas de leur mission secrète au sein des ténèbres. Kayla s'est liée d'amitié avec Ika le condor des montagnes. Celui-ci venait tous les midis quand les tisserands déjeunaient et le condor buvait l'eau du lac non seulement pour se désaltérer , mais pour se purifier , il faisait des incursions dans les anciennes cités ancestrales ensevelies par les ténèbres.

Sa vision devenait de plus en plus forte, et au cours des semaines qu'il avait passées dans cette partie de la montagne avec les tisserands et au contact des samas, sa perception de la montagne s'était davantage ouverte.

mentalement de communiquer avec Ika comme les tisserands lui avaient dit qu'il s'appelait, car ils pouvaient le voir aussi.

Au début, Ika n'a pas répondu au contact de la pensée de Kayla avec sa pensée, mais peu à peu cela s'est calmé . La vision de Kayla était très forte .

Kayla admirait ce gigantesque condor argenté qui faisait environ quatre fois la taille d'un ours à lunettes.

Kayla a continué à tisser patiemment et à apprendre des tisserands, la nuit elle lisait des livres sur le monde ancestral et sa création que le buma lui prêtait, mais là elle n'avait rien écrit sur les samas.

Chapitre 7
Ika

Ika, le condor de la montagne ancestrale, était celui qui avait le plus de transmutations. Ceux-ci leur ont permis de voler à travers les anciennes villes ancestrales sans être vus par la bête pour rechercher les survivants des neuf races.

Ika a pris un certain nombre de créatures : certaines grièvement blessées et d'autres sans vie et les a laissées sur la rive du lac. Le Buma venait avec ses pouvoirs de guérison et plongeait les créatures dans le lac et les ramenait à la vie : cerfs, tortues, ours à lunettes, tapirs, oiseaux.

Ika avait survolé cette mer de ténèbres qui ensevelit les cités solaires. Il aiguisait sa vision en essayant de voir les dômes engloutis par la mer lorsque les dieux de la crevasse ont convoqué ce déluge. Ika regardait tristement les ruines des cités radieuses de ses ancêtres. Les souvenirs l'assaillirent alors qu'il volait très près de la surface de la mer agitée et sombre.

Un calendrier en pierre a marqué 500 ans à partir du compte court. Le déluge a changé tout le visage de la création des neuf terres et a divisé l'histoire en deux. Avant et après ce déluge, plusieurs calendriers de pierre d'une durée de 500 ans chacun se sont écoulés.

L'inondation a tué tout ce qui a été créé et seule cette montagne bleue a survécu. Les vagues de la mer créées par le déluge ont noyé les nouvelles terres et se sont élevées vers le ciel.

Ceux qui ont été emportés par les courants de ce déluge et la mer déchaînée sont morts. La mer s'est renversée comme un grand pot d'argile, déversant son contenu sur les terres, noyant toutes les races. Des ours à lunettes, des tapirs, des oiseaux de toutes les couleurs, des aras, des tatous et bien d'autres espèces de créatures qui devaient habiter ces terres ont été dévorés par des bêtes dans cette mer écumante.

Le déluge anéantit une riche ère de progrès et d'avancement. Il a anéanti diverses races qui avaient étudié en profondeur l'univers et découvert des secrets et donné des percées aux races. La moyenne de l'intelligence tombe à presque zéro en cette période d'obscurité. Les grands penseurs et scientifiques sont également morts.

Les créatures célestes venues de Malva pour partager des inventions et des développements ont également été écrasées par la fureur de cette bête. Le pouvoir humain n'était pas facilement effacé et la bête le savait lorsqu'il retourna dans les neuf terres pour vérifier son action mortelle et se rendre compte qu'une race avait survécu à tout : la race humaine.

Tous ces souvenirs sont venus à Ika lorsqu'elle a survolé les ruines des anciennes villes ancestrales.

Après cette dévastation, tout était silence. Les chants des oiseaux ne se sont plus fait entendre dans les forêts et dans les jungles ancestrales.

Ika était tellement absorbée par les souvenirs des courses. Je ne fais pas attention à ces oiseaux sépia d'un autre âge que la bête a envoyés de la crevasse pour l'embusquer.

La bête savait que lorsque le condor arriverait dans ce qui restait de cette ancienne mer où les dieux de la crevasse ont émergé et où les ancêtres du condor étaient enterrés, il serait distrait et serait une proie facile.

Ika a réussi à réagir et à fuir les oiseaux de proie au bec recourbé et déchiqueté. Il a augmenté sa vitesse suivi de près par les oiseaux qui non seulement le dépassent en nombre, mais aussi dans l'envergure de ses ailes. Ils étaient sur le point de le rattraper quand la montagne devint visible pour lui et non pour ces oiseaux qui Ils sont entrés en collision avec cette roche dure qui les a instantanément pulvérisés.

Le condor a ramassé ses ailes d'argent lorsqu'il a atterri sur la rive du lac des visions. Il se sentait épuisé par le voyage de ces milliers d'unités astronomiques qu'il avait dû parcourir à travers tout l'espace visible de l'univers.

Contempler le lac à cette heure où la lune se reflétait dans ce miroir d'eau infiniment profond : cela le réconfortait. Boire l'eau du lac a soulagé ses douleurs intérieures et sa fatigue extérieure. Il s'endormait en écoutant le chant des tisserands infatigables qui, sur les rives du lac, tissaient ce manteau et ces vêtements pour la venue du prochain suprême qui porterait sur ses épaules et sur son épée le poids de soutenir la création.

Ika était absorbé par la mélodie qu'il connaissait et que les tisserands chantaient avec enthousiasme. Ika a entendu une voix qui était fausse et a remarqué un nouveau tisserand. C'était cette fille qu'il avait vue pour la première fois il y a quelques années et qui ne semblait plus si jeune et qui le dévisageait. Comment était-il possible qu'elle puisse le voir, s'il était un être de diverses transcendances et avec diverses dimensions qui cachaient son véritable pouvoir.

La jeune femme sembla lui sourire comme pour lui dire que son secret était en sécurité avec elle.

Ika ne croyait pas que cette jeune femme qui venait de quitter son enfance avait le pouvoir d'atteindre diverses transcendances astrales.

Ika pensait que Kayla était très jeune et inexpérimentée et qu'elle ne serait pas en mesure de développer ses pouvoirs pour empêcher la mort de l'univers et elle se sentait triste pour le buma, puisque les deux ne pouvaient pas voler dans le ciel des courses , elle craignait que les dieux enverraient cette bête après eux. Si le buma périssait, alors tout serait fini.

Il était le dernier bras de la résistance. Ika pensait qu'elle ferait n'importe quoi pour que la fille développe bientôt ses transmutations.

Chapitre 8
Avi

Sagi l'avait choisi pour cette mission car la grotte où il devait mettre le pot d'argile avec le gène d'un nouveau suprême était là où il était né. Avi connaissait tous les coins et recoins, les galeries et les chambres. Il était content de la mission et il prévoyait de dire à Kayla tous les détails , car la fille était sincère et voulait vraiment aider le buma dans cette mission.

Les samas sont partis dans leur tout nouveau temple vers la fissure, portant le récipient d'argile avec la graine d'un nouveau suprême à l'intérieur.

Avi Je me souviens comment il est né en tant qu'ancêtre : il est né de la peinture rupestre d'une grotte très ancienne. Un être d'apparence humanoïde était assis autour d'un feu qui remuait constamment. Des étincelles montèrent jusqu'à la large voûte de la caverne et certaines s'écrasèrent contre les murs. C'est l'une de ces étincelles qui a donné l'image ancienne d'une figure de glyphe en forme de hibou. Immédiatement , Avi prit vie et tomba au sol, cessant d'être une figure bidimensionnelle pour devenir un être tridimensionnel.

La créature nourrissant plus de bois sec sur le sol de la caverne éclata de rire . Cela effraya le petit glyphe qui pouvait mesurer à peine un mètre. Il s'est enfui et s'est retrouvé dehors dans un monde surréaliste.

La fissure de la bête était énorme, coupant en deux les neuf terres couvertes d'une obscurité dense.

Sagi et Avi sont descendus dans la crevasse par une corde attachée à une poutre du temple qui était garée au bord de l'abîme.

Lorsqu'ils atteignirent l'entrée des grottes de cette crevasse, les dieux et les bêtes dormaient profondément.

Sagi portait le récipient en argile caché dans son sac à dos, tandis qu'Avi, qui connaissait le terrain de ces anciennes grottes, allait de l'avant en marquant la route et en évitant d'entrer en collision avec les corps des dieux ou des bêtes.

A l'entrée de la grotte, Avi regardait le profond précipice. La mer grondait en dessous. Le chemin vers les grottes était étroit. Si la bête ou l'un de ces dieux rugissait ou même éternuait, ils tomberaient dans le vide .

Sagi a enlevé le sac à dos où elle portait le pot en argile et l'a donné à Avi.

— Maintenant, vous dirigez la stratégie, a déclaré Sagi à Avi.

— Ces grottes sont reliées les unes aux autres. J'entre en premier. La bête est dans le second et les dieux dorment dans le troisième. Quand je suis entré par le premier, vous devez aller au second et là vous verrez la bête somnoler.

— Ce sera facile, dit Sagi.

— Tu vas réveiller la bête et lui faire te poursuivre. Ensuite, vous sauterez de la falaise et il y aura le temple qui viendra vous chercher.

— Ce serait difficile, dit Sagi.

— Je vais profiter de la confusion et laisser le récipient en argile dans le nid, dit Avi.

— Cela semble être une bonne idée , espérons que les choses ne se compliquent pas, a déclaré Sagi.

— Les choses se sont apparemment passées comme les samas l'avaient prévu. À leur retour, ils ont dû faire un détour. Un autre dieu bestial s'était apparemment réveillé et venait de cette mer écumeuse. Il était énorme et peut-être plus féroce que la bête déluge elle-même.

Il était difficile de se libérer de l'emprise de ce dieu des abysses qui a saisi le temple d'une griffe. Les autres dieux qui somnolaient dans la grotte ne remarquèrent même pas l'arrivée des samas.

Ce dieu n'a pas permis au temple de s'élever. Sagi, utilisant un ancien pouvoir ancestral, a quitté le temple sous l'apparence d'un humain et a porté un coup avec son bâton qui a assommé le dieu, le renvoyant dans les profondeurs de la mer.

A l'intérieur du temple, les samas respiraient bien, ils étaient loin de la fissure et se rapprochaient de la montagne.

— Comment tout s'est-il passé ? demandé Joe, l'érudit qui contrôlait le feu de l'autel.

— La bête n'a pas remarqué ma présence, le récipient en argile ressemblait à un œuf de la bête, a déclaré Avi.

— Maintenant, nous n'avons plus qu'à attendre, a déclaré Sagi.

Les samas sont arrivés très fatigués une nuit de leur mission et le buma a dû les emmener au lac et les y couler pour effrayer la contamination des dieux des crevasses.

Les samas ont passé trois jours en quarantaine sans voir personne, uniquement soignés par le buma. Lorsque le buma a vu que la marque de la bête s'estompait devant Sagi et Avi, il a pu leur donner complètement carte blanche pour reprendre une vie normale sur la montagne.

Les trois samas restèrent plusieurs jours à discuter avec le buma de leur voyage à la fissure. Ils ont délibéré sur la prochaine étape et ont convenu d'attendre l'avènement du suprême.

En ces jours de quarantaine, Avi a écrit ses impressions d'aller à la fissure dans son journal. Il ne voulait oublier aucun détail , puisque le buma lui disait que lorsqu'on fait face à un dieu aussi puissant que les dieux de la faille on risque de perdre la mémoire.

Chapitre 9
L'arrivée du suprême

Les samas ont trouvé les escaliers qui menaient à Malva et là ils ont dû attendre la venue du Suprême et son ascension dans ces escaliers. Si c'était qu'il avait vaincu la mort. Ils y sont allés parce que c'était un chemin laissé marqué par Kabala dans les temps anciens et pour ne pas compromettre la puissance de la montagne.

Ils installèrent le temple sur cette dernière plate-forme où se terminait l'escalier qui conduirait le Suprême là où les samas l'attendaient pour attester du pouvoir du nouveau Suprême.

Ils ont attendu plusieurs jours enveloppés dans l'obscurité pour qu'il s'évapore . Ce ne serait pas avant que le Suprême n'apporte cette lumière et ne l'élève de son bâton pour illuminer les terres et leur ciel.

La lumière de la montagne lointaine pour les samas était comprise au-delà et ne pouvait être vue que par ceux qui étaient marqués par le ciel.

Les bêtes étaient à moitié aveugles et ne pouvaient pas voir cette lueur bleutée. Ils se déplaçaient par instinct dans cette obscurité. Pour les yeux d'un jaguar qui s'était habitué à cette obscurité, ses pupilles pouvaient voir cette lumière briller là à l'horizon et c'était là qu'il dirigeait ses pas.

Un cri de mort a été entendu et résonné à travers les terres ancestrales. Son son parvenait aux oreilles des samas qui dormaient dans l'ombre. Ils se sont réveillés en sursaut.

Tout était silence et ténèbres. Pas seulement pour cet être qui cherchait un moyen de s'échapper ou qui avait déjà donné sa vie. Sinon pour les créatures cachées dans la montagne qui attendaient le résultat du concours.

Les samas s'attendaient au pire. N'ayant plus de voix, pour prier ou chanter, ils craignaient qu'un autre millier d'années de ténèbres ne vienne si le suprême était mort.

Sagi pensait qu'il avait fait une erreur en choisissant cette race proscrite et maudite au temps de Kabala.

Soudain, le chant des oiseaux se fit entendre et le battement de toutes sortes d'oiseaux qui prirent leur envol avant ces premières lueurs. Ce fut peu de temps avant un nouveau cri de la bête, tout s'arrêta et l'obscurité régna à nouveau.

Dans les sanctuaires de montagne, les bumas, les enseignants et Kayla ainsi que les tisserands confiaient leurs transcendances aux esprits de la montagne et imploraient la santé du suprême afin qu'il ne soit pas dévoré par ces dieux ou la bête.

Dans le temple, les samas attendaient ce jour de résurrection et de renouveau. Avec patience, ils tissaient et priaient et ils ont senti l'espoir fleurir du fond de leur cœur.

— Ce dernier cri ne ressemblait pas à celui de la bête, a déclaré Sagi, « arrête de tisser.

— Cela ressemblait plus à un rugissement de jaguar, a déclaré Avi. Ce qui signifie qu'il aura vaincu la bête. Peut-être que ce pourrait être un canular compte tenu de la malice de ces créatures qui se déplacent dans les ténèbres.

La première lueur de cette aube nouvelle pénétrait à travers les ajours du temple de grès. Les samas ont abandonné leurs pots et récipients en argile où ils ont dormi cette nuit éternelle et qui les ont protégés de l'esprit reptilien et de la bête.

Là-bas, dans cette vallée, l'agitation du combat entre deux créatures très puissantes, l'une des ténèbres et l'autre du ciel, se faisait encore entendre .

— Depuis combien de temps le Suprême se bat-il ? demanda Avi.

— Plusieurs jours et apparemment ce n'est pas que contre la bête. Il semble qu'il est contre plus d'un adversaire.

Les Samas en prière permanente envoyaient de l'énergie au bras de cet être qui réussissait à faire pousser sa lumière à l'intérieur et réussissait à voir dans l'obscurité le chemin vers la montagne où il devait trouver le chemin vers Malva.

— C'est incroyable que plus de deux calendriers de pierre se soient écoulés. On dirait que c'était hier, a déclaré Avi.

— Il a dit qu'il faudrait entre mille et mille ans pour son retour parmi les bêtes et c'est 1 500 du long calendrier, dit Joe.

L'écho se fait encore entendre là-bas dans la vallée. La chaleur du combat de celui qui a vaincu les ténèbres. Les cris d'agonie de la bête qui éteignent le feu des courses.

— Nous devons commencer les préparatifs pour couronner la créature capable de gravir les mille marches qui séparent Mongi des villes ancestrales pour atteindre les portes de notre temple et demander que nous lui remettions le trône et le bâton, a déclaré Avi.

—J'espère que ce n'est pas une fausse aube. Je vais mesurer la lumière avec le spectromètre pour savoir si elle est dans le bon état, a déclaré Sagi. Il ouvrit une petite porte qui faisait partie de la porte du temple et servait à éviter d'ouvrir cette lourde porte lorsqu'il devait juste sortir à proximité.

Les autres samas reculèrent de peur et s'enveloppèrent dans leurs ponchos et leurs capuches et serrèrent très fort leurs massues au cas où il y aurait une agitation à l'extérieur et qu'ils devaient aider Sagi.

« Le bruit du combat de celui qui a vaincu les ténèbres se fait encore entendre là-bas dans la vallée, dit Sagi. Entrer à nouveau dans le temple et fermer la porte avec plusieurs barreaux.

— Le reflet de ce lever de soleil est encore incertain, même s'il tente de préciser qu'il y a de nombreuses taches sombres dans les forêts et que les oiseaux sont retournés se cacher dans leurs nids. Ce qui nous parvient est l'écho du combat avec plusieurs heures de retard, nous ne devons donc pas être très sûrs de qui remporte le concours ou qui l'a définitivement gagné. Nous devons être patients et continuer à prier en espérant un miracle », a déclaré Avi.

— Mais nous ne croyons pas aux miracles, répondit Joe.

— Cette fois, nous n'avons pas d'autre choix, a conclu Sagi.

Au sommet de la montagne, il a commencé à faire jour. Le chant des oiseaux se fit entendre. Le voltigement d'oiseaux de toutes sortes prenant leur envol dans ces premières lueurs.

— Que pourrait bien être l'apparition de celui qui a finalement plongé son bâton de gayacan dans la peau dure de la bête pour qu'elle libère la lumière qui un jour a illuminé le soleil de Tulka.

— Prions pour qu'il soit une bonne créature et pas impitoyable. Pas comme le dernier suprême qui a été vendu aux ténèbres, a déclaré Sagi.

— Et si c'est la bête qui a volé l'identité du Suprême. Celle qui gravit les mille marches en s'illuminant d'une fausse lumière pour nous faire croire qu'elle est la nouvelle suprême qui a vaincu les ténèbres pour occuper le trône", a déclaré Joe, le plus incrédule et le moins optimiste des samas.

« Si c'est la bête, dit Sagi, « nous devons la pousser dans le vide ou la jeter sur la pente des marches pour être dévorée par les ténèbres. Nous reviendrons pour attendre encore mille ans. Nous continuerons à chanter et à prier pour qu'un suprême nous ramène cette lumière ambrée dont tout le monde ancestral devrait être illuminé.

Chapitre 10
L'élu

« Regardez comme les oiseaux sont abondants et leurs chants éclaircissent la couche de ténèbres qui entoure la montagne , dit Joe, le plus vermeil des samas.

— Je me souviens quand nous étions des oiseaux dans la première ère avant de devenir des samas et de prendre cet aspect des humains, a déclaré Avi.

— Pour ces oiseaux, ces mille ans, où l'épopée a été soumise aux ténèbres, ne sont qu'une longue nuit. Ils se sont réveillés comme si c'était n'importe quel autre jour, a déclaré Sagi.

Les pas de celui qui a vaincu les ténèbres et retrouvé la lumière ambrée se sont fait entendre dans toute la vallée. Certaines créatures qui s'éveillaient peu à peu se taisaient. d'autres étaient cachés dans les bois qui bordaient le chemin où grimpe une créature. Les marches de pierre avaient la forme d'un serpent.

— Soyez vigilant, préparez les massues et le grand filet, au cas où nous devions le renvoyer comme il est venu, dit Sagi.

Celui qui a vaincu la bête a finalement atteint la dernière marche. Il traversa l'esplanade qui le conduisit il portail de l'entrée du temple.

Les samas étaient cachés derrière l'une des colonnes avec leurs massues de gayacan prêtes à entrer en action.

La créature bacille et la lampe torche qu'elle brandissait scintillaient en essayant de s'attacher. À première vue, il semblait grand et son corps était couvert de boue et ses traits étaient méconnaissables.

— La lumière a clignoté. Il semble que ce soit cette fausse lumière d'obsidienne avec laquelle les bêtes des ténèbres s'illuminent, a déclaré Sagi.

— Mais il ne s'est pas éteint quand il a senti notre présence, parce que si c'est la fausse lumière, devant un sama qui connaît la vérité de la création, il s'éteint et cette lumière maintient toujours la flamme, a déclaré Joe.

L'être tremblant à cause de la température froide de la haute montagne et pour avoir traversé ces marais infectés par la mort, a tenté d'ouvrir la porte qui menait à l'épaisse porte gayacan du temple avec une main qui était en fait une sorte de griffe aux longs ongles . . Il ne s'est pas ouvert. Frustré et presque sans force, il tenta de rebrousser chemin. Peut-être pour retomber dans les ténèbres.

« Attendez ! dit Sagi en passant derrière la colonne. Nous avons besoin de voir votre marque du ciel pour vous laisser passer et chasser le froid et la maladie de votre corps.

La créature essaya de marmonner quelque chose. Les mots ne sortiraient pas de sa bouche. Juste de la boue noire comme du vomi.

— Si tu es le suprême : celui qui revendique le trône des races, tu dois t'immerger dans le ruisseau qui jouxte le temple. L' eau élimine la boue et la contamination du corps et nous pourrons voir votre physionomie pour vous donner ce qui vous appartient en vertu de la loi. Si ce n'est pas toi : retourne d'où tu viens, démon, bête infernale, et que les ténèbres continuent de régner jusqu'à une nouvelle et vraie aurore, quand la lumière de la justice et de la vérité resplendira sur l'autel du temple.

La créature qui brillait de cette faible lumière ambrée, le seul fragment qu'il trouva dans le ventre de la bête lorsqu'il la tua d'un coup terrible, hésita un moment. Il essaya de comprendre les paroles du sama et suivit finalement la direction qu'il indiquait avec son doigt . Sans hésiter, il suivit la direction.

Tout fut silencieux pendant un moment jusqu'à ce qu'il entende le bruit d'un corps entrant dans l'eau et le cri perçant et perçant de quelqu'un mourant et revenant à la vie.

— Pauvre créature, l'eau du ruisseau est maintenue à très basse température et la pauvre bête est venue avec des signes d'hypothermie. Préparez les serviettes et les couvertures et démarrez l'eau thermale du temple - Sagi a dit à deux samas qui tremblaient pour se conformer à l'ordre.

Les Samas ont d'abord entendu une éclaboussure de cet être submergeant dans le ruisseau qui contenait l'eau du lac qui venait de la montagne.

Puis ils entendirent des cris angoissés et terrifiants , cette créature était en train de guérir : non seulement de sa blessure, mais aussi de la contamination que les ténèbres avaient laissée dans son corps.

Après un court silence, des pas légers se firent entendre. Pas les pas durs d'une bête, mais des pas plus doux, plus délicats. Les samas se cachèrent derrière les hautes colonnes du club et attendirent.

— Comment seront ces nouvelles créatures qui habitaient les neuf terres ? Serait-ce des oiseaux, des ours, des faucons — se demandent les samas. La lumière brilla de nouveau , indiquant que l'être avait de nouveau levé la torche et les oiseaux et perroquets revinrent chanter et voler à travers toutes les cimes des grands samas et gayacanes.

La créature n'avait pas encore la force de dissiper toute l'obscurité et de faire briller le soleil de Tulka. Les samas étaient heureux de cet éclat et l'espoir se reflétait dans leurs yeux.

— Pour l'amour du ciel, dit Avi, « c'est un couguar, ou c'est peut-être un autre type de félin.

— Non, c'est un jaguar de lumière. La seule créature capable de vaincre les ténèbres et ses bêtes hideuses , a déclaré Joe.

— Appelons ce jour une nouvelle aube pleine d'espoir pour les courses. Emmenons notre invité au temple et plaçons-le près du feu afin que son bâton puisse se recharger et qu'il puisse illuminer l'univers demain , a déclaré Sagi.

Tuxe leva sa canne du haut du temple , les samas la portèrent très haut dans ce ciel gris. Il a libéré la lumière qui rayonnait à travers l'infini , illuminant l'univers entier et ses constellations.

Tuxe illuminait le ciel avec son bâton qui contenait du pouvoir , les samas ouvraient les récipients en argile et jetaient les graines de toutes sortes de plantes et d'arbres fruitiers.

Le condor, portant Kayla et Layla chef des tisserands, vola plus haut que le temple et le voile fut jeté. Le voile était associé à cette lumière éternelle et liait tout ce que la lumière éclairait : mondes, soleils, étoiles de différentes couleurs, lunes et astéroïdes.

Chapitre 11
Tuxe

Tuxe devint agile : griffé de crochets acérés, qu'il pouvait bien cacher , il aimait caresser presque toutes les créatures et tous les arbres de ce monde.

Les Samas l'ont soumis à des tests difficiles pour prouver sa valeur et l'aider à mûrir et à comprendre l'univers et son but avant de relever son véritable défi.

La saison dernière dans les montagnes avait renforcé son esprit et le contact avec le buma, Kayla et les tisserands l'avaient réconforté. Des tisserands, il a tout appris sur l'univers primordial et la constellation du jaguar. Elle avait le même désir que Kayla d'en savoir plus sur les dieux de la faille.

Son séjour dans les montagnes avait aussi guéri son esprit et son corps. La voix de la bête et le son de ces dieux n'étaient plus dans sa tête. Il était sur le point de se transformer en bête.

Chaque jour, il se remémorait son séjour là-bas et comment il était né dans cette obscurité.

Au début, à l'intérieur de ce vase d'argile qui contenait le gène d'une nouvelle race capable de défier le pouvoir de la bête se trouvait Tuxe. Il se sentait seul et une pensée timide a grandi jusqu'à ce qu'elle devienne forte et devienne une étincelle qui illuminait l'intérieur du récipient qui était le reflet de l'univers.

À l'intérieur du conteneur, il a grandi. Avec l'aide de ces êtres qui sont apparus à l'intérieur et que maintenant il savait que l'un était Sagi et l'autre le buma. Ses pensées traversaient le conteneur sans que les dieux de la fissure s'en aperçoivent pour l'aider à développer ses pouvoirs, pour lui apprendre à récolter cette énergie qui lui a donné le pouvoir de sortir de là et de conquérir la lumière.

Il était bien entraîné, mais dans la dernière période, il n'entendait plus les voix de ce buma ou du sama qui l'encourageait. Il a été seul pendant longtemps jusqu'à ce qu'il soit temps de briser cette coquille. Au lieu de sortir dans la lumière : il est sorti dans les ténèbres.

Tuxe s'est rappelé que lorsqu'il s'est senti plus mature, il a commencé à entendre les voix de l'extérieur et les créatures qui se déplaçaient autour du conteneur et il a entendu une douce voix qui l'a encouragé à sortir et il voulait la rencontrer.

Quand il a brisé cette coquille de boue et est sorti, il n'a vu que l'obscurité et le microvers où il est né s'est éteint. Il se souvenait que ces créatures avaient hurlé de façon hystérique lorsqu'elles l'avaient vu apparaître et étaient allées se cacher dans les bois voisins.

Il pensait que c'était un monstre ou la bête elle-même , il ne savait pas vraiment à quoi ça ressemblait. La plus grosse bête de toutes celles qu'il vit se tenir là le fixa . C'est le même qui l'a encouragé à partir. Quand je regarde dans ses yeux, il n'a vu ni haine ni peur. Sinon une sensation étrange et puis il entendit sa voix qui n'était plus douce , mais comme le tonnerre :

«Courez, les dieux veulent votre mort.»

Il courut aussi vite qu'il put, poursuivi par une meute de créatures furieuses qui voulaient sa mort.

La lumière qui le guidait dans cette obscurité était la lumière en lui-même. La petite tombe qui s'est illuminée quand il est sorti en courant et l'a guidé à travers cette obscurité entourée de bêtes meurtrières.

En plus d'indiquer le chemin à suivre et de bien le cacher , son éclair ne doit pas être vu par ces dieux qui surveillaient les chemins vers la montagne pour empêcher toute créature ayant les faveurs du ciel d'atteindre la montée.

Dans sa fuite le long de ce chemin qui le menait aux marches où brillait une toute petite lumière. Il a trouvé une épée qui brillait comme sa lumière intérieure et avec elle, il a tué plusieurs bêtes. Mais ils étaient si nombreux et ils avaient faim que son bras lui faisait terriblement mal et quand elle était sur le point de s'évanouir, quelque chose d'extraordinaire s'est produit.

Tuxe ne se souvenait pas bien, mais quand il allait être atteint par cette meute de bêtes furieuses sous le commandement d'un être implacable qui hurlait et hurlait toutes sortes d'insultes contre lui. Une bête plus grosse est intervenue et leur a barré le chemin.

« Continuez ces marches et ne les laissez pas vous attraper jusqu'à ce que vous atteigniez le sommet.»

Tuxe se souvient quand il a utilisé son bâton pour la première fois qu'il contenait cette étrange énergie qu'il ne maîtrisait pas encore.

Dans la bande de ciel que Tuxe a illuminée lorsqu'il a levé son bâton pour dissoudre les ténèbres, la constellation du jaguar est apparue visible.

En demandant à Sagi pourquoi il l'avait choisi , il répondit :

« Vous avez été choisi parmi l'une des neuf races créées pour protéger l'univers. La race des jaguars était celle qui affrontait les ténèbres et leurs yeux pouvaient percer leurs épaisses capes pour trouver les destructeurs d'épopées qui voulaient contrôler toute la création.

Ses yeux avaient vu la lumière pour la première fois dans l'une des villes de ce ciel et les buma lecteurs de chemins et de destinations l'avaient désigné comme le jaguar qui deviendrait un jour le meilleur guerrier de cette époque et protégerait les races de les créatures des ténèbres.

Tuxe monta les marches qui se trouvaient près de ce lac dont il but quelques gorgées d'eau et se baigna pour se rafraîchir. Après être sorti du lac, il est allé chez Kayla.

Les tisserands tissaient et ils ont souri quand ils ont vu qu'être si grand et lumineux s'adressait à eux d'une manière simple et bienveillante.

Puis Tuxe se rendit à la hutte du buma et le prit dans ses bras puissants et le serra dans ses bras pour le remercier de son hospitalité et de tout ce qu'il y avait appris sur la façon de protéger l'univers et ses races.

« Il est temps d'affronter l'inconnu, dit Tuxe à Sagi, qui l'attendait plus bas dans la montagne.

— Où allons-nous ? demanda-t-il. Je devais porter de simples vêtements de montagne qui cachaient sa vraie forme.

— Nous allons dans la seule ville solaire qui ait été sauvée de cet atroce déluge. De là , ils ont gouverné les terres et vous protégerez les races, a déclaré Sagi qui portait également des vêtements d'alpiniste. Une tunique en coton blanc nouée à une épaisse ceinture marron, des sandales, un chapeau de pèlerin et un sac à dos.

Tous deux utilisaient des bâtons de pèlerins et passaient ainsi inaperçus. Si une créature envoyée par les dieux le voyait, elle ne pourrait pas le reconnaître.

Tuxe se sentait mal à l'aise dans ces vêtements.

« Vais-je toujours m'habiller comme ça ? Il demandé.

— Non, vous vous porterez des vêtements suprêmes . Lorsque nous arrivons à destination et jusqu'à ce que nous soyons sûrs que nous utiliserons ces vêtements. Ensuite, vous pouvez choisir comment sera votre façon de vous présenter au monde. Les tisserands et le buma vous ont préparé plusieurs tenues parmi lesquelles choisir.

— J'aime être nu comme le vent.

— Lorsque vous êtes sous votre forme de jaguar, vous en êtes capable, mais lorsque vous prenez une forme humaine sur les terres, vous devez porter des vêtements appropriés, a déclaré Sagi.

Lorsque Tuxe visitait les anciennes cités ancestrales, il le faisait sous la forme d'un jaguar: avec des cheveux tressés, un sac à dos en bandoulière sur la poitrine où il transportait ses poporos et ses herbes de vie, des médicaments pour panser ses blessures et prolonger sa vie.

Il portait sa canne en cas d'attaques soudaines par des créatures cachées dans les routes et qui agressaient des êtres du ciel pour protéger les lignées de la terre et les races.

Chapitre 12
Malva

— Où irons-nous ? Tuxe a demandé à Sagi.

— A Malva, répondit Sagi.

— Quel est ce son que je n'arrive pas à déchiffrer sama Sagi.

— C'est les ours à lunettes dans ta prière. Ce sont des créatures qui ont vaincu les ténèbres dans les premiers âges, lorsque leur habitat a été détruit par des bêtes venues des ténèbres. Ils protègent les forêts de nuages et vivent dans les forêts entourées de frailejones.

— Et cette autre chanson ?

— C'est en votre honneur et en votre honneur. Ce sont des tapirs qui habitent les forêts profondes de cette montagne.

— Et il y a des jaguars comme moi.

— Tu es le premier à voir le soleil de cette montagne et de ta descendance naîtra toute la lignée des jaguars .

Tuxe aux yeux radieux était émerveillé par les tons et les reflets de la lumière des feuilles des arbres.

Tuxe est allé avec les samas à Malva et s'est rendu à leur temple pour voir l'état des terres et les anciennes villes ancestrales d'en haut. Un profond regret saisit le cœur de Tuxe lorsqu'il vit la dévastation de ces terres.

Les architectes s'y sont rendus pour faire un diagnostic afin que les samas et Tuxe lui-même reconstruisent ces cités antiques.

— Ce ne sera pas pareil. L'ancien pouvoir ancestral que détenaient ces villes a été perdu à jamais. Ce que nous renouvellerons, ce sera un autre type de ville. Un plus moderne, mais il suffira que les races les habitent et que vous les protégiez avec le pouvoir de votre bâton, lui dit Sagi.

Des potiers, des architectes, des artisans, sous le commandement des samas ont commencé la restauration.

Chaque fois que Tuxe levait son bâton avec cette énergie : les pierres flottaient des rivières et étaient placées dans ces villes de roche et de granit. Un par un, ils ont été placés pour former des bâtiments. Les grandes colonnes ont été érigées pour former des temples. Les aubergistes ont pavé les rues et canalisé et canalisé l'aqueduc de façon naturelle. Des ruisseaux descendaient de la montagne pour approvisionner les villes et les villages en eau potable.

C'était une période de renouveau et elle s'incarnait dans les écrits du buma des montagnes et de Kayla.

Malva a été restauré selon les spécifications que Tuxe a données à Sagi. Cela devait être différent car il y avait caché les secrets que Tuxe avait pour protéger les races.

— Je voudrais que les sculpteurs taillent la pierre en ce centre de cette forêt pour construire le premier village, a déclaré Tuxe. Il n'y aura pas besoin d'aller dans les carrières car cette roche dans laquelle se trouve cette petite montagne où rien ne pousse est en pierre d'albâtre et facile à tailler. Les maisons sortiront de là.

— Ce sera comme vous le dites — a dit Sagi, « c'est comme ça qu'était votre univers quand vous avez grandi à l'intérieur de ce moule. Vous avez les plans de tout dans la tête, il vous suffit de les dessiner et de les donner aux architectes pour qu'ils s'occupent de tout .

Dans l'imposante vallée de Malva, le soleil brillait au-dessus de, dissipant complètement l'obscurité. Un vent de renouveau et de changement soufflait sur les vallées fertiles. Les chants des paysans et des paysannes se faisaient entendre dans leurs vergers, remerciant du fond du cœur ce soleil et leurs récoltes. Plusieurs colibris virevoltent autour des clôtures fleuries en sirotant le nectar des fleurs.

Le suprême et le sama s'arrêtèrent près d'un champ de maïs fleuri et reçurent des mains d'un villageois une paire de jeunes épis, qu'ils dépouillés de leurs feuilles pour manger avec délices. La couleur de ce maïs tendre était comme la couleur de ce soleil et sa saveur était semblable à celle du lait tendre.

Ils virent enfin la ville d'Aznar: la capitale. Construite en pierre de lapis-lazuli, la ville brillait entre les grands arbres et vers là ils dirigeaient leurs pas

Ils ont traversé les rues pavées avec ces dalles de pierre verte. La ville, bien que petite, semble avoir été sculptée par les maîtres sculpteurs à l'intérieur d'une grande dalle de pierre encastrée dans la montagne. Cela ressemblait à une petite montagne transformée en ville au milieu de cette forêt.

La grande vallée d'Aznar ressemblait à une sculpture parmi les arbres. Les habitants, ethniques et heureux, jouaient de leurs tambours et soufflaient dans leurs anches à vent, et autres instruments construits par l'inventivité de ces gens simples qui voulaient célébrer l'ascension d'un nouveau suprême au trône.

Dans cette ville de Malva, le temps s'écoulait différemment, une même journée se répétait au même degré : avec la même luminosité, la même brise, la même température, le même arôme.

À Malva, il n'y avait pas de sabliers ni de calendriers en pierre. Tuxe écrivait maintenant dans son journal personnel, Sagi le regardait avec inquiétude.

Tuxe aimait ce pays à régner. Les samas et les potiers y arrivèrent, portant les récipients en argile qu'ils avaient préparés pendant le temps que dura l'épopée pour que naisse dans ces forêts la lignée des jaguars, qui serait la première race à voir briller le soleil de Tulka dans son splendeur.

« Monsieur, dit Mulay le potier, nous avons mis les récipients dans les bois neufs pour que vous les éclairiez avec votre bâton. Les nouvelles races naîtront ici avec tous les pouvoirs du ciel.

« La lumière ambre nous appartient maintenant, a déclaré Tuxe. Lumière qui brille au cœur du soleil de Tulka. La peau des races de toutes origines et de toutes couleurs, lisse ou poilue, ne vieillissait pas et ne se fendillait pas.

Des races de Malva sont apparues dans leurs forêts et c'étaient des races différentes de celles qui vivaient dans les montagnes ou à Mongi. Alors ces races seraient celles qui peupleraient les neuf terres et deviendraient humaines.

La vérité est que Tuxe, étant le premier jaguar, a également été le premier à répandre sa semence dans les forêts de Malva pour créer cette race avec l'aide des samas et des potiers.

Tuxe et Sagi étaient assis sur des rochers plats se faisant face , dans un ruisseau paisible. Après avoir bu quelques gorgées de cette eau fraîche, ils restèrent silencieux. Ils ne voulaient pas manquer le bruit du ruisseau qui les transportait dans les mystères du ciel profond, inaccessibles aux bêtes et aux races.

La forêt de platanes était l'un de leurs endroits préférés.

Pendant un moment, ils furent fascinés par la tranquillité paisible de l'endroit jusqu'à ce que Tuxe rompe le silence.

— Pensez-vous que je suis prêt à assumer cette tâche ?

— Sans aucun doute, le buma et moi avons toute confiance en vous. Vous recevrez vos transcendances lorsque vous serez couronné. Aucun être, aussi puissant soit-il, n'égalera votre pouvoir et votre intelligence, Sagi lui a dit

Sagi portait cette tunique traditionnelle des samas de couleur beige qui atteignait ses mollets avec une ceinture bleue nouée à sa taille.

Sagi portait sa massue taillée dans l' arbre gayacan , l'un des arbres les plus durs de l'épopée. Il maniait sa massue avec une grande habileté et celle-ci lui servait de support pour marcher sur des routes accidentées et parfois pour affronter des guerriers des ténèbres qu'il rencontrait de temps en temps lorsqu'il parcourait les chemins de la bête.

L'apparence des deux était différente, celle de Tuxe était celle d'un jaguar qui avait comme vêtement les tatouages qui parcouraient sa fourrure entre les taches jaunes et terre cuite qui étaient les cartes des nouvelles terres.

Tuxe portait un sac à dos tissé par lui-même qui ne le quittait plus et où l'on voyait le manche de sa petite canne ne dépassant pas de cinquante centimètres où toute la force du Vang s'y concentrait. Le bâton que tous les dieux bestiaux craignaient. Tuxe se levait sur ses deux pattes arrière et laissait échapper son rugissement caractéristique et se précipitait sur son adversaire avec son bâton levé pour faire face à un ennemi potentiel de l'obscurité.

Chapitre 13
Couronnement du suprême

Avec Malva reconstruite et le feu éternel qui brille dans le temple. Sagi a commencé à faire des préparatifs pour introniser le nouveau suprême, ce jaguar ambre qui a été formé par le buma de la montagne pour accomplir sa tâche.

Le nouveau suprême en guise de cérémonie de bienvenue a été coulé dans les eaux du lac des visions pour purifier son esprit et le relier à l'énergie la plus élevée de la création du Vang et qu'il doit passer de suprême en suprême.

Le suprême était le seul à avoir le pouvoir de porter le feu éternel qui brillait sur l'autel du temple du jaguar. Il devait s'y rendre avec sa torche pour porter ce feu et illuminer un nouveau village.

Sept forêts entouraient Aznar, la capitale de Malva. Ceux-ci ont été décorés et les colons. Ils se pressaient dans la rue principale qui menait au palais scintillant pour voir passer le suprême avec sa couronne d'herbes aromatiques sur la tête.

Le suprême portait le bâton dans sa main comme symbole de pouvoir et était accompagné des samas et d'étranges créatures jamais vues auparavant de la montagne. D'autres autorités au profil différent l'ont accompagné tout au long de ce somptueux défilé de fanfare et de danse.

La matinée était radieuse. La rue principale menant au palais était ornée de rubans multicolores. Villageoises et villageois de toutes races étaient des deux côtés de la route, regardant la caravane du suprême passer vers la grande place où il serait couronné.

Tuxe est descendu du char, suivi de Sagi et ils se sont tous deux dirigés vers la plate-forme de cérémonie.

Kayla a descendu la montagne jusqu'au temple sama, et elle et Avi se sont déplacés vers l'avant pour mieux voir le couronnement.

Le buma de la marine est venu voler de la montagne dans l'imposant condor qui a atterri tout près. Il est venu vêtu d'une tunique d'apparat et de son bonnet de grande autorité de la montagne pour imposer la couronne et distribuer les bénédictions au suprême et aux présents.

La silhouette de Tuxe paraissait plus grande et plus imposante, et un soupir d'admiration monta de la gorge des personnes présentes. Le sceptre enfin sculpté fut remis par le buma et Sagi remit à son tour l' épée que les forgerons de la montagne avaient créée pour cette occasion.

Le musicien a commencé à jouer une marche alors que le buma plaçait la couronne sur la tête de Tuxe. Celle-ci était ornée de fleurs provenant des arbres astraux que les buma récoltaient pour confectionner la couronne.

Le sacre fut bref, mais passionnant. Tuxe pouvait à peine prononcer quelques mots et jura de protéger les races et leurs terres. Les assistants se sont retirés et se sont installés chez eux pour continuer la fête.

Le buma, Kayla et les samas ont accompagné Tuxe au palais pour le voir s'asseoir sur le trône.

Le lendemain, Tuxe a rencontré Sagi, Kayla et Avi dans la salle royale. Le buma est parti après la cérémonie. Il a quitté Kayla à sa place.

— Nous devons élaborer un plan pour protéger les races et libérer leurs terres des griffes de la bête, a déclaré Tuxe à ses amis.

— L'appel des villageois qui vivaient près des frontières avec Mongi et dans les basses terres est très urgent, a déclaré Sagi.

— J'ai rassemblé une petite armée et recruté les meilleurs guerriers jaguars pour m'aider à maîtriser ces intrus qui viennent de la ville des ténèbres de Mongi. Ils viennent ravager la frontière et dévaliser les villageois et les villageois, dit Tuxe.

C'était au milieu des bois, l'endroit préféré de Tuxe. Le soleil de Tulka brillait. Tuxe était accompagné de Kayla et Avi, ils marchaient le long d'un chemin d'arbres séculaires et Tuxe s'arrêta dans une clairière.

— Je vais avoir besoin de votre aide pour cette campagne de libération, dit Tuxe à Kayla et Avi.

Ils se regardèrent tous les deux en souriant. Le buma a conseillé à Kayla d'apprendre de Tuxe, tout comme Sagi avec Avi. Les deux jeunes hommes étaient désireux d'être utiles au suprême.

— Les armées de Monguí ont l'intention de s'emparer du pays des races. Sur le trône de cette terre sombre se trouve une bête qui souhaite également détruire Malva. Je dois recruter plus de villageois de la forêt profonde et de bons guerriers. Ils doivent aller dans chaque ville et placer les édits pour qu'ils s'enrôlent dans mon armée.

Kayla et Avi sont partis, laissant Tuxe perdu dans ses pensées. De nouveaux guerriers jaguars et de jeunes villageois sont venus à l'appel, à la fois des villages proches et lointains.

Les neuf guerriers jaguars recrutés par Tuxe étaient chargés de former les nouvelles sommations qui seraient des soldats et iraient dans chacun des régiments de guerriers jaguars.

Après quelques mois, l'armée de Tuxe était complète et bien entraînée. L'armée ennemie croyait que Tuxe et ses guerriers jaguars ne pouvaient pas arrêter l'avancée, mais cette armée était différente.

« Nous marcherons vers les frontières où l'ennemi fait des ravages parmi la population, dit Tuxe à ses soldats.

Sagi les regarda partir vers l'inconnu depuis la grande place du palais.

Chapitre 14
La vengeance des dieux

Mongi a été élevé par ces bêtes et ces guerriers reptiliens avec les ruines des anciennes cités solaires. Des villes qui un jour ont été effacées par ce déluge que la bête a envoyé à la première ère pour détruire les races. Les pierres taillées par les artisans pour construire les temples ont été placées comme murs pour protéger la ville fantôme des attaques de l'ordre du jaguar.

Ces créatures à l'apparence de reptiles qui avaient la marque des ténèbres dans leur cœur, étaient les propriétaires des terres et les défendaient avec tout. Il serait difficile pour une armée, aussi puissante soit-elle, de s'emparer de cette ville et de libérer les races d'esclaves qui nourrissaient les assoiffés de sang de jaguar.

Tout était silence dans les terres de Mongui . Les oiseaux ne chantaient plus dans l'arbre astral, et le chant qui faisait référence à l'origine et à ses chants n'était plus entendu. Les arbres brûlés étaient partout.

Les forêts avaient été ravagées par les bêtes et la furie des volcans qui avaient brûlé la terre lors de la première dévastation. Ce n'était plus le fabuleux pays des oiseaux. C'était le pays de la bête.

Les eaux étaient troubles. Les cendres couvraient le ciel, l'air n'était pas respirable. Seules les bêtes qui erraient à la recherche de charognes pour se nourrir semblaient être dans leur environnement.

C'est l'année de la bête qui a marqué sur le calendrier de pierre le jour 780 de la création de Monguí et de sa capitale Góndola.

Yargos monte sur le trône de pierre en tant que suprême et nomme Urulu généralissime de ses troupes. Yargos et Urulu ont prêté serment devant les dieux de la faille. Ils ont gravé leur marque sur leur front avec ce fer incandescent et ont promis de détruire le suprême et les samas et de récupérer cette partie des terres pour les ténèbres.

Les dieux et les bêtes sont déjà très proches dans cette crevasse où les seigneurs les ont envoyés. Ils ont dû endurer plusieurs années de chasteté et d'abstinence pour contrôler la population. Ils ont ordonné à Yargos et à son général de récupérer les neuf terres où ces bêtes vivaient autrefois en tant qu'immortels et êtres divins.

Mongi était une terre malade et polluée. Là, Yargos a construit son temple en l'honneur de la bête déluge qui a détruit le monde antique. Il y plaça son trône dans l'espoir de monter sur le trône de Malva et de devenir son suprême.

Yargos avait choisi ces basses terres autrefois occupées par les ancêtres des races. Ils avaient vaincu les démons du feu qui possédaient ces terres. Ici, Yargos se sentait à l'aise. De là, il pouvait monter à travers cette fissure qui reliait Malva pour détruire le Samas et le Suprême. C'est là qu'il installa son temple : une pyramide carrée où il plaça son trône de pierre.

Dans cette vallée, les architectes de Mongui ont choisi les meilleures pierres des anciens temples des cités solaires. Avec eux, ils ont élevé leurs temples en forme de pyramides.

Le plan de Yargos de placer un imposteur sur le trône de Tuxe échoue. Cela a été découvert par Sagi et a révélé le plan au Suprême. Donc, ce plan de Yargos pour asseoir l'un des siens sur le trône des races n'était plus une option.

Yargos créait des guerriers bestiaux pour prendre le contrôle de Malva et détruire Tuxe. Ce n'était pas facile pour lui ni pour Urulu le Tisserand des Ténèbres.

Ils partirent pour Malva par un chemin difficile , puisqu'ils ne pouvaient emprunter le chemin du jaguar. L'armée ne pourra pas gravir les marches qui séparent Mongi de Malva. En chemin ils durent faire des haltes , puisque les guerriers se reproduisaient et sur un millier de guerriers avec lesquels ils partirent, ils atteignirent les frontières de Malva avec une armée de cent mille guerriers reptiliens. Yargos ordonna à Urulu de couper leur reproduction , cette quantité de guerriers était dangereuse à contrôler et pouvait se révéler à eux ou au pouvoir des dieux qui les avaient créés.

Épées, lances, maillets de fer, couteaux, pointes de flèches. Ils ont été trempés dans les fours de l'enfer par un démon rouge , tandis qu'Urulu les a imprégnés de cette matière noire capable de tuer les suprêmes et toutes sortes d'immortels.

Les guerriers sont venus avec une armure naturelle, les dieux ont utilisé de vieux moules d'anciennes créatures qui possédaient de solides structures osseuses pour créer ce type de guerrier.

L'armée de Yargos s'étendit sur toute la frontière de Malva et y attendit que Tuxe vienne les défier.

Avant d'affronter les jaguars, Yargos Commande de prendre d'assaut les villages voisins afin qu'ils ne puissent pas aider Tuxe et ses guerriers jaguars.

Ses soldats ont volé des femmes des villages voisins qu'ils ne pouvaient pas maîtriser et prendre. Ils étaient protégés par le feu de quelque membre de l'ordre du jaguar. Ils les ont volés pour épouser l'un de leurs généraux et obtenir une progéniture hybride et plus de soldats pour leur cause afin de vaincre l'armée de Tuxe.

Chapitre 15
La bataille

L'armée qui venait des terres des ténèbres de Monguí a arrêté son avance et s'est tenue devant cette créature. Il y avait de l'hésitation dans ses actions. Au début, les archers guerriers s'avancèrent, tempérant leurs arcs et lançant une pluie de flèches. Ils l'ont fait rapidement pour pénétrer le corps de cet être qui brillait comme le soleil. Un rugissement pulvérisa ces dattes dans les airs et les guerriers archers roulèrent morts au sol.

Effrayés, les généraux envoient leurs bêtes. Le jaguar doré qui brillait comme un soleil se dressait sur ses deux pattes arrière et la plus belle des épées forgées aux mille tranchants d'origine brillait dans des mains qui n'étaient pas des griffes. Le jaguar, avec un petit chant émis par ses rugissements, changea son apparence en jaguar et en guerrier et lança l'attaque.

Ces monstres qui l'ont chargé se sont heurtés à un chant qui les a fait reculer. les créatures les plus intrépides Ils ont avancé avec lui dans cette bataille.

Le guerrier jaguar a écrasé son épée en alliage contre ces monstres énormes et terrifiants, composés de morceaux de diverses créatures. Des géants avec des massues de pierre et des têtes glabres où il voyait la marque des ténèbres gravée sur leurs fronts roulés sur le sol.

Tuxe avait vu comment les dieux de la caverne avaient construit ces guerriers destructeurs pour anéantir le ciel des races et leurs cités de pierre.

Tux n'a rien laissé au hasard. Bien qu'il commandait une armée plus petite, il était plus efficace. Les guerriers qui l'accompagnaient pouvaient abattre plus d'une centaine de guerriers comme ceux-ci.

Ils étaient trop maladroits pour leurs mouvements félins et avec des épées forgées par les samas avec cette lumière éternelle, les têtes de ces monstres roulaient sur le sol.

Ensuite, les forêts proches de la frontière avec Malva ont commencé à être libérées. Le reste de l'armée d'Urulu s'enfuit devant le puissant assaut de cette armée dorée. Les forêts ont commencé à renaître. Les oiseaux ont recommencé à tisser leurs nids et à chanter leurs chants.

Le guerrier jaguar redevient le félin suprême et entre dans ce labyrinthe d'arbres pour se perdre dans les profondeurs.

L'attaque est venue du ciel. De grands oiseaux osseux qui appartenaient à une époque antérieure à la création antique : les redoutables oiseaux Duxa qui appartenaient autrefois à la grande dynastie du condor, mais qui ont trahi leur propre sang et se sont révélés.

Au commandement de Yargos, ces bêtes ailées ont attaqué les guerriers jaguars qui se retiraient à Malva. Ses serres en forme de crochet tentaient de pénétrer les cuirasses, les cuirasses et les heaumes des guerriers jaguars.

Les jaguars étaient bien entraînés et ont sauté du sol avec un bond prodigieux sur le dos de ces oiseaux et ont enfoncé leurs couteaux en silex dans les yeux de ces lézards, le seul endroit vulnérable pour ces oiseaux, et l'un est tombé au sol sans peau ni plumes. , juste dans les os.

Plus d'oiseaux charognards qui patrouillaient dans un autre ciel furent envoyés contre les jaguars par Yargos et maintenant ils étaient au nombre de centaines qui assombrirent le ciel pendant un instant.

Les flûtes de roseau sonnèrent et immédiatement les condors et les faucons envoyés par le buma de montagne furent vus dans le ciel pour rendre compte de ces oiseaux charognards. La bataille dans ce ciel d'origine entre ces oiseaux a été si intense et a duré plus longtemps que n'importe quelle bataille des armées sur terre puisque ce jour-là, ils n'ont pas osé attaquer depuis le ciel conquis par les condors et les faucons.

Yargos cherchait un moyen d'arrêter Tuxe et de se venger de la mort de ses guerriers.

Les batailles contre les ténèbres ont eu lieu à toutes les époques d'origine. Depuis quand la lumière a été décrétée. Un Suprême a fendu l'épaisse brume pour laisser entrer la lumière et illuminer le ciel des courses. Une fissure que Yargos, protecteur des dieux bestiaux, tentait de refermer. Cela lui était impossible car la lumière était plus forte et maintenant cette lumière brillait dans le cœur des races.

Les combats entre l'armée Yargos et l'armée Tuxe furent intenses . Les guerriers jaguars se remettaient plus rapidement de leurs blessures et contre-attaquaient que les soldats et guerriers de Yargos. Cela lui a donné un avantage Tuxe qui a repoussé ces troupes reptiliennes. Les guerriers jaguars ont repris le contrôle de la frontière.

Vaincus, Yargos et Urulu retournèrent à Mongi. Yargos ne retourna pas dans la faille avant longtemps, craignant que les dieux ne les punissent .

Pendant ce temps , sous les auvents et les tentes de l' armée victorieuse, Tuxe aidait les villageois qu'ils avaient sauvés des griffes de Yargos à se relever puis sortait avec ses jaguars pour mettre de l'ordre aux frontières et éteindre les dernières redoutes restantes de l'armée de Yargos. .

Avi a aidé à reconstruire les villages et Kayla a soigné les blessés. Tuxe a formé les villageois à l'utilisation des armes. Il a nommé des dirigeants afin que la population était protégée.

Chapitre 16
La vision

Le temple volant a atterri près du lac des visions. Lorsque les portes d'ébène s'ouvrirent, Tuxe, les samas et Kayla sortirent et se dirigèrent vers la cabine du buma, qui les attendait avec un banquet en leur honneur. Les tricoteuses qui manquaient à Kayla avaient décoré l'endroit.

Alors qu'ils franchissaient la porte de la cabine, le buma serra Kayla dans ses bras et l'embrassa sur le front. Il a ensuite donné un autre câlin à Sagi et a serré la main de Tuxe. Ils s'assirent tous autour de la table. Kayla ne savait pas si elle devait rester assise ou aller étreindre Layla et les autres tricoteuses à nouveau.

Après ce banquet, Tuxe continua à parler avec le buma de certaines visions et images qui lui sautaient aux yeux chaque nuit. Une terrible prémonition l'entourait et seul le buma pouvait apaiser ses pensées.

Sagi est retournée au temple avec Joe, tandis qu'Avi lui a demandé la permission de rester avec Kayla et les tisserands. Ils voulaient rester éveillés pour voir une éclipse lunaire qui aurait lieu à minuit.

Tuxe ce matin-là était allé au lac des visions pour voir son passage à travers l'épopée. En regardant dans les profondeurs de ce lac , ses yeux se sont remplis de larmes quand il a vu cette vision.

Son temps et son passage dans ce monde ancestral ont pris fin. La brume du lac qui la recouvrait à cette époque s'était dissipée . Tuxe a pu voir une autre vision qui a rempli son cœur d'espoir.

Tuxe a pu voir son reflet dans ces eaux calmes pour la première fois. Il a pu voir son véritable aspect que la lumière éternelle lui avait donné, lorsqu'elle illuminait son corps. Il ressemblait à un jaguar des ténèbres qui se déplaçait à quatre pattes à travers ces terres froides. Ce n'était pas un jaguar à la peau radieuse comme ce soleil d'or. La lumière ambrée l'avait changé après le contact avec les créatures des ténèbres.

Le smoking sur sa peau avait dessiné les forêts de Malva. Ces forêts où un jour il espérait retourner en esprit. Dans la vision, il avait des taches sombres. Il serait l'assassin des races et non leur sauveur. Il entendit à nouveau les voix des dieux de la faille lui disant que les races devaient être effacées de la création.

Je redeviendrai un jaguar des ténèbres quand je mourrai et que je perdrai la lumière mauve qui éclaire mon origine, pensa amèrement Tuxe.

Ses longs cheveux rouge-or tombaient jusqu'au milieu de son dos. Elle dénoua les tresses que les tisserandes avaient faites dans ses cheveux pour montrer sa véritable apparence dans le reflet du lac. Le dilemme ne l'a pas laissé dormir cette nuit-là. Les visions continuèrent à le submerger ce matin-là.

Tuxe a suivi le conseil du buma de revenir à quelque chose ce matin-là. Il était le seul être qui voyait clairement les faits.

Il est allé au lac près de la cabane pour regarder dans ses eaux et là, il trouverait la réponse au dilemme et prendrait cette décision qui changera tout. La responsabilité était très grande.

L'expérience de Tuxe sur le lac le change. Il se rend compte que son autre moitié est un jaguar des ténèbres. Il n'y a pas de lumière sans ténèbres et il doit retrouver ce jaguar des ténèbres qui fait partie de lui-même. C'est pourquoi les ténèbres le hanteront pour toujours et détruiront tout ce qu'il touche et aime.

— Je dois être un avec la bête, je dois l'attirer dans cette lumière, mais son esprit et son cœur sont pleins de ténèbres.

Sagi lui avait dit qu'il partageait du matériel génétique avec Kabala, mais maintenant il croyait qu'il partageait du matériel génétique avec la bête.

— Vous n'êtes pas né dans le ventre de la bête, vous ne partagez donc pas de matériel génétique avec elle, ni avec les dieux, lui a dit Sagi. C'est Kabala qui a pris un morceau de son cœur pour créer la graine qu'il a créée .

— Je sais, a dit Tuxe, mais je me suis lié avec elle par inadvertance.

Ces derniers jours, il avait eu cette conversation avec Sagi. C'est pourquoi il était venu sur la montagne pour affronter cette vision qui l'empêchait de dormir.

— L'épopée et tout ce qui a été créé va être détruit par une nouvelle bête et je n'ai aucun pouvoir pour arrêter et éviter le sombre destin des races.

Tuxe retourna dans la cabine du buma comme le buma l'avait demandé.

— Parlez-moi de votre expérience dans le lac des visions. Comment avez-vous vécu votre passage dans la constellation du jaguar et ce que le destin vous réserve, lui dit le buma.

— Mon destin est avec la bête. J'y suis attaché et je crois que j'en fais partie. Si je meurs, la bête meurt avec moi, a dit Tuxe au buma après lui avoir raconté la vision qu'il avait eue dans les profondeurs du lac.

— Vous dites que les dieux de la Faille ont condamné les races à la destruction : à moins que vous n'offriez votre vie pour les sauver.

— Oui, en plus de voir la destruction du monde ancestral et des races, je me voyais comme la nouvelle bête à qui j'ai volé l'ambre.

— Cet ambre est celui que Kabala a récolté . La bête que vous avez tuée l'a volée pour laisser les races aveugles et perdues dans cette mer de ténèbres à la merci des dieux de la faille.

— Dans la vision, j'ai vu une nouvelle bête encore plus terrifiante que celle que j'ai tuée et les dieux lui ont donné le pouvoir de détruire l'univers.

— Vous devez faire confiance à la lumière qui est dans votre cœur et chasser ces sombres pensées. Ce n'est qu'alors que vous pourrez remplir votre mission, lui a dit le buma.

Lorsqu'ils se dirent au revoir, le buma se dirigea vers un placard où reposaient plusieurs fragments d'ambre. Il y avait des morceaux de roches anciennes que le buma avait ramassés dans les profondeurs du lac et d'autres parties de la montagne. C'étaient des fragments du premier univers. Il y avait d'autres pots de différentes tailles, certains avec des feuilles sèches, d'autres avec des racines. Le buma prit une graine dans l'un des bocaux et la tendit à Tuxe.

— Tiens, si tu prends la décision de t'abandonner aux dieux de la faille et que tu te vois à l'article de la mort, n'hésite pas à ingérer cette graine. C'est la graine d'un arbre astral de plus de mille hectares qui poussait dans les forêts de la première ère. Je ne peux pas vous dire quel effet cela aura sur vous, mais si vous l'ingérez lorsque vous êtes jeté à travers l'abîme de la mer écumante pour que votre immortalité soit drainée par ces dieux bestiaux, vous pourriez avoir une autre chance.

Tuxe étreignit le buma et partit pour Malva, il devait prendre une décision, mais il voulait d'abord parler à Sagi.

Tuxe de retour à Malva se réfugia au fond de la forêt et ne put y dormir non plus. Quand le jour se leva, il se dirigea vers le petit ruisseau et là il continua ses réflexions.

«Et maintenant, quelle nouvelle bête dois-je combattre ? Sera-t-il plus meurtrier que la bête que je tue quand je me libère du vaisseau ? Sera-ce le même qui a détruit la première origine ?

— Donne-moi de la force, Kabala, et rends mon bras très fort et mon épée plus meurtrière. Ces bêtes ne cessent d'apparaître du fond des ténèbres pour tuer les races et éteindre leur lumière », dit Tuxe d'une voix forte en levant les yeux au ciel.

Sagi est arrivé à l'heure pour la rencontre avec Tuxe dans la forêt de sycomores et a trouvé son ami encore plus découragé.

— Comment ça s'est passé avec le buma et le lac ?

— Il semble qu'une créature ancienne, celle-là même qui a tué le premier univers et qui a effacé toute la mémoire de la première humanité, ait trouvé le chemin des terres ancestrales et y ait établi son trône de pierre. Il a soumis les créatures à son caprice, empêchant les chants et les prières de monter au ciel, afin que les races atteignent le ciel promis, dit Tuxe

— C'est peut-être un piège. Toi tu es bien protégé ici, dit Sagi, ils veulent que tu abandonnes leur protection.

— Malva ira bien, tant que nous retiendrons les armées que Yargos a créées pour prendre le contrôle de la ville. Je vais quitter Mulay que j'ai désigné pour me remplacer. Il a fait preuve de courage et d'intelligence pour diriger son destin et protéger cette ville. Je ne suis pas né pour m'asseoir sur un trône. Mon cœur est avec les courses et si elles souffrent, je souffrirai. Je préfère être en charge de votre libération.

— Si vous allez à Mongi, vous ne pourrez pas emporter l' ordre des jaguars avec vous, ils sont encore trop spirituels pour aller dans ces terres malades et ils pourraient mourir, a déclaré Sagi.

— Ils resteront ici pour aider Mulay à protéger les secrets de Malva pendant qu'ils s'adaptent. Un jour, celui qui me succédera aura besoin de votre courage pour défendre les races si je péris.

— Mais les races ont besoin de toi, lui dit Sagi.

— Mes mémoires écrites en codex sont finies, je vous les laisse pour que vous les répartissiez entre les races.

— Persistez-vous toujours dans l'idée de nous abandonner ?

— Si je ne le fais pas, la bête détruira Malva et si Malva tombe, les mondes où les races habitent tomberont." Le soleil de Tulka et tout le monde antique se transformeront en poussière. Telle est la puissance de cette nouvelle bête que les dieux de la faille ont créée pour me détruire ainsi que les races, dit Tuxe.

Chapitre 17
Phrase

Lorsqu'il atteignit Mongi après avoir traversé des paysages désolés, il vit les villages les plus proches des terres de la bête rasés et brûlés. Tuxe comprenait la gravité de son destin. Il est venu seul et sans armure et sans sa fameuse épée éclair et sans son sceptre. Il fut reçu par Yargos et Urulu qui l'attendaient à l'entrée du pont de pierre pour le conduire à la crevasse devant les dieux.

— Vous paierez vos crimes pour avoir volé l'ambre et tué la bête déluge, les dieux vous jugeront.

Ils l'ont attaché à une bête épineuse qui chevauchait Yargos et l'a traîné, il a été emmené le long de sentiers non balisés, des terres érodées de boue rouge, à travers des paysages anciens et vides jusqu'à ce qu'il atteigne les rives de cette mer. Yargos et Urulu descendirent de leurs montures bestiales et escaladèrent le récif qui les menait aux grottes des dieux.

L'épreuve fut courte et fut prononcée par un dieu, le seul qui avait pu s'éveiller grâce à la dose de matière noire que lui apporta Yargos. Tuxe ne pouvait pas voir à quoi il ressemblait d' où il se tenait . J'ai seulement entendu sa voix avec ce langage intelligible du fond de la grotte. Il avait été pendu à un rocher tout près du précipice de la falaise qui surplombait la mer écumante. Des têtes d'anciens dieux bestiaux pouvaient être vues à partir de là.

Les dieux l'ont reconnu coupable et après l'avoir torturé pendant plusieurs jours, ils l'ont forcé à combattre une bête. C'était l'une des nombreuses créations des dieux pour terrifier les races. Si la bête parvient à le vaincre, elle serait nommée suprême et siégerait sur le trône des races.

En attendant la bête : Tuxe contemplait l'image de ce ciel gris comme si c'était le ciel des races qui s'écroulaient sur la tête.

De temps en temps, Yargos venait le battre avec un bâton pour se venger des défaites que Tuxe lui avait causées.

Parfois, Tuxe, dans ses délires, avait des visions soudaines de son avenir et voyait le visage de ce dieu souriant. Celui qui l'a condamné à mort et à être transpercé par l'épée d'une bête antique et a ensuite vu son corps être dévoré par les dieux de cette mer écumante.

Dans une autre vision, Tuxe était pieds et poings liés au sommet d'un monticule et regardait de là l'univers et ses mondes progressivement disparaître.

Le visage de ce dieu dévoreur de mondes et de races se dessinait dans ce ciel rance et un sourire satisfait encadrait son visage. Parfois c'était un cyclope et d'autres fois un jaguar des ténèbres au visage gris qui le pointait du doigt et le condamnait à mort.

De son lieu de torture, Tuxe regarda le soleil qui illuminait le chemin des courses s'assombrir. Les oiseaux ont cessé de chanter et les mondes ancestraux se sont cachés dans une obscurité épaisse. S'il mourait , les races mourraient aussi.

Si la bête s'asseyait sur le trône des races, tout serait perdu et pour la première fois il se rendit compte de son erreur. Tout cela n'était qu'un piège des dieux qui manipulaient ses pensées en envoyant de fausses visions.

Tuxe rassembla ses forces pour laisser échapper son dernier rugissement et peut-être annuler le sortilège de la bête. L'écho de son cri perça les neuf terres et réveilla d'anciens pouvoirs cachés dans les anciennes cités ancestrales.

Il s'est réveillé du délire et était toujours attaché au rocher devant l'entrée de la grotte à cet endroit appelé la vallée de la mort.

Urulu le libéra des chaînes et Tuxe tomba lourdement au sol. La tête en bas, il réussit à mâcher quelques feuilles et à boire quelques gouttes d'eau d'un petit récipient qu'Urulu, son geôlier, ne remarqua pas. Yargos est sorti de la grotte en traînant une grande chaîne.

La bête qui apparut devant lui était dans un état lamentable et bien qu'elle fût plus grande que lui, son apparition lui causa des regrets. Il était cousu dans son ventre, là où il l'avait transpercée avec son épée pour récupérer l'ambre.

Urulu lui lança une vieille épée que Tuxe attrapa en l'air. Les feuilles qu'il mâchait lui redonnaient lentement des forces.

Yargos a libéré la bête de ses lourdes chaînes.

La bête le regarda profondément avec les quatre yeux qui étaient ouverts. Les autres yeux semblaient avoir été arrachés par le feu. Des marques de chaînes étaient visibles sur ses chevilles et ses bras épais.

« Ils doivent se battre jusqu'à la mort, dit Yargos, « s'ils ne le font pas, ces archers que j'ai ordonné de placer en haut de la falaise les transperceront avec ces flèches. Si la bête gagne, elle aura sa liberté et le droit de revendiquer le trône des races et sera pardonnée par les dieux. si tu gagnes vous serez aussi pardonné.

« C'est la bête du déluge à qui tu as volé l'ambre et que tu as laissée pour morte. Elle pense que tu es son fils. Alors ils l'ont punie et lui ont enlevé ses pouvoirs, mais elle a été réanimée avec des pouvoirs de combat pour se battre avec vous. S'il le fait, il occupera à nouveau une place parmi les dieux.

La bête s'avança sur Tuxe. Il recula de quelques pas. Puis il regarda dans les yeux de la bête et crut voir quelques larmes couler sur les joues dures de cette créature qui leva avec hésitation une longue lame d'acier carrée, une arme qu'il n'avait jamais vue auparavant.

Yargos, remarquant que la bête avait laissé tomber son arme forgée par Dieu, capable de tuer un suprême comme Tuxe, ordonna aux archers de tirer.

Les flèches s'enfoncèrent dans certaines parties molles de la bête et d'autres rebondirent sur l' épaisse peau de la bête. La bête ouvrit ses bras et une paire d'ailes fut comprise pour que les flèches n'atteignent pas Tuxe.

Elle continua à bouger jusqu'à ce qu'elle soit proche de Tuxe et enroula ses ailes autour de lui. Puis il sauta dans la mer , Yargos et Urulu le regardant avec étonnement.

Une mer bouillonnante engloutit Tuxe et la bête. Plusieurs guerriers reptiliens descendirent de la falaise pour les achever.

Chapitre 18
La vision de Kayla

La montagne ancestrale, dans la hutte du buma près du lac des visions. Le matin était clair et Kayla et le buma étaient assis dans le salon écoutant les oiseaux chanter et boire du thé de herbes .

— Pour être un buma, il faut plusieurs années de formation pour acquérir suffisamment de perspicacité pour comprendre l'univers ancien sous tous les angles, dit le buma à Kayla.

— J'aimerais voir les terres de Tuxe libérées des ténèbres et rencontrer les races, dit-elle.

— Puisque tu as décidé de descendre sur terre pour continuer tes recherches sur les dieux de la crevasse et les suprêmes, je vais te donner une de mes transcendances pour qu'une graine commence à germer en toi. Un arbre a besoin de plusieurs travées pour devenir fort contre les vents astraux et cela l'aide à former de nombreux anneaux qui sont ses transcendances, peut-être que dans votre recherche avec patience vous pourrez gagner plus.

— Je suis prête à descendre sur terre et à aider les samas comme vous l'avez demandé, ainsi qu'à trouver mon chemin vers la vraie lumière, a déclaré Kayla.

— Si tu descends sur la terre tu vas te transformer en autre chose, le temps de la bête y règne et non le temps lisse et durable de la montagne, où un jour je pourrais durer aussi longtemps qu'on voudra, car notre temps est harmonieux merci ambre.

— Monsieur, je ferai attention.

— De nombreux dessins tentent de rendre justice à ce petit artefact qui tient dans la paume de la main, dit le buma en lui montrant une petite graine, «il a un tel pouvoir que personne ne peut croire que cela puisse créer des étoiles, des mondes et courses. C'est comme une noix, c'est la grosseur d'une graine d'arbre astral et ça crée des mondes et des univers, les met en marche ou les éteint selon le pouvoir de pensée de celui qui le possède.

Le buma était un récolteur d'ambre. Ce jour-là, il s'était rendu dans la forêt où seuls les bumas avaient le droit d'entrer et avait rapporté suffisamment d'ambre pour envelopper la graine et la protéger.

— Mais avant de partir, il faut entrer dans la forêt des arbres astraux. Vous devez y rester trois jours et trois nuits sans manger ni dormir juste en écoutant. Vous ouvrirez votre cœur et votre esprit au cosmos. Vous ne boirez que de l'eau de ce poporo et mâcherez ces herbes. Ainsi vous gagnerez le droit de recevoir et d'acquérir des transcendances comme votre père et votre mère qui y vivent de manière spirituelle.

Kayla a résisté aux trois jours dans cette petite forêt qui n'était pas dans un endroit physique mais à l'intérieur d'elle . Les herbes qu'il mâchait les y transportaient grâce à la transcendance que le buma je lui avais donné

Les deux premiers jours, elle serrait dans ses bras un petit arbre d'ambre qui était le seul de sa forêt intérieure. Sa lumière la protégeait d'être dévorée par cette obscurité. Tout autour de lui était vide. Kayla a essayé de voir l'aura de ses parents qui étaient maintenant des esprits dans les forêts de la transcendance, mais elle ne pouvait pas les voir.

Peu à peu, elle organisait ses pensées et l'obscurité qui l'entourait s'atténuait un peu. Le troisième jour, elle a pu lâcher l'arbre auquel elle s'accrochait et s'est vue comme un esprit à côté de ses parents qui lui souriaient.

« Va sur les terres, tu y trouveras ton autre moi. Là tu sauras si un jour tu veux être buma. Si vous trouvez les réponses, revenez ici pour que nous puissions être un avec l'univers, lui ont dit ses parents spirituels.

Elle retourna au buma et lui raconta son expérience.

— Votre forêt intérieure a besoin de beaucoup de graines, la forêt d'un buma est pleine d'arbres ambrés à l'infini et vous n'obtenez ces graines qu'en aidant les autres.

— Pendant le séjour d'Avi dans la fissure, il m'a dit qu'un des dieux avait condamné à mort le jaguar de la constellation. et qu'il restait peu de temps.

— Oui, c'est ça. Je pensais qu'Avi avait fait une erreur et avait mélangé les symboles. En allant chercher l'ambre pour protéger la tombe, j'ai vu la vision dans le lac de la forêt des arbres astraux , dit le buma.

— Que peut-on faire ? Kayla a demandé.

— La bête créée un temps de destruction. Il le marque sur des calendriers de pierre qu'il place sur les terres des races. La nuit, en regardant le ciel depuis la montagne, vous pouvez voir qu'une étoile meurt chaque jour. Je n'ai pas le pouvoir d'arrêter ces dieux.

— Seigneur, je sens que je dois en savoir plus sur ces dieux si je veux un jour les affronter.

— Que les samas et le suprême soient chargés de s'occuper d'eux et de les combattre, ils ont le pouvoir. L'être suprême né dans la fissure a réussi à entrer dans la pensée de cette bête et a vu comment ils pouvaient la tuer et quelle était sa faiblesse.

— Seigneur, depuis, Avi m'a dit ce qu'il a vu dans la fissure, j'étudie ces dieux. Je veux apprendre plus d'eux. J'ai tout lu à leur sujet dans la bibliothèque des professeurs, mais je ne trouve plus de matière à étudier.

— Je vais vous donner un livre où les Mukura Suprêmes ont compilé leur expérience et écrit sur la bête, dit le buma.

Les adieux avec les maîtres et les autres apprentis furent brefs. Le buma l'attendait à l'extérieur de la pension et il ressemblait à un autre ermite, ses vêtements de pèlerin cachant sa vraie forme.

Kayla et le buma descendirent longuement cette pente qui serpentait vers le pied de la montagne.

— Cela faisait un moment que je n'étais pas pèlerin, une activité qui me passionne, dit le buma d'un ton improvisé.

— Il a été très gentil de m'accompagner jusqu'à ce que je quitte la montagne, il sait que c'est très difficile pour moi de la quitter.

— Je sais , il m'est arrivé la même chose la première fois que j'ai dû sortir. Un buma en herbe doit être un pèlerin et confronter sa croyance au monde réel afin de prendre des décisions plus sages.

Ils traversèrent des villages colorés . Les habitants de la partie inférieure de la montagne étaient plus bruyants que ceux qui se trouvaient dans les villages des parties les plus élevées. Les encouragements de ces gens simples ont encouragé Kayla à poursuivre sa mission. C'était pour eux et pour tout ce que représentait la montagne qu'il devait affronter les vrais dangers pour apprendre la vérité.

Ils se reposaient assis à l'une des tables d'une auberge en bordure de route, où un aubergiste leur servit deux tasses de maïs clair avec du lait frais et une pâte de goyave maison qu'ils mangèrent tous les deux avec délice.

— Pour être buma, dit Navy en s'essuyant la bouche avec une fine serviette en tissu, plusieurs années d'introspection sont nécessaires pour acquérir suffisamment d'intuitions pour comprendre le monde ancestral.

Le buma lui raconta comment il avait été choisi pour le poste et ce qu'il devait affronter pour y parvenir.

— Mais qu'est -ce qu'une transcendance ? demandé-elle

— Une transcendance est la capacité de voir à travers le temps et l'espace. Le pouvoir de pénétrer les ténèbres pour voir tout ce qui est créé et en faire partie. C'est aussi la capacité de transformation avec le pouvoir de la vision de la cosmogonie ancestrale qui nous fait un avec tout ce qui est créé.

Cela faisait maintenant deux jours qu'ils marchaient. Ils s'arrêtèrent au dernier contrefort, à un belvédère d'où l'on voyait presque complètement les vallées des neuf terres.

— Quelles étaient ces vallées avant qu'elles ne deviennent les nouvelles terres ? demanda Kayla en se penchant devant l'une des clôtures de ce point de vue où la beauté de cette vallée était contemplée.

— Les cités solaires étaient des centres d'apprentissage sur le cosmos, le ciel, l'origine et le destin. De hauts temples et des sites d'observation des étoiles s'élevaient des hautes terres. Les seigneurs qui régnaient sur les cités antiques voulaient savoir comment vaincre les dieux de la faille. Ces dieux voulaient leur voler leur origine et leur savoir pour ensuite les envelopper de ténèbres et d'oubli.

— Comment les races sont -elles arrivées ici et quel pouvoir les a protégées ? elle a demandé.

— Neuf races avec la marque du ciel ont pris vie à l'intérieur des pots d'argile que les suprêmes avaient jetés dans l'obscurité et d'eux et sont nées : ours à lunettes, jaguars, condors, dantas, tatous, oiseaux tisserands, faucons, loutres, pumas, qui occupait la longueur et la largeur de ces vallées fertiles.

— Et la race humaine ? Demandé -elle

— La race humaine, considérée comme maudite par les Suprêmes, n'a pas reçu le pouvoir de venir sur ces terres en tant que seconde race après que la première ait été détruite par la bête.

— Et la race jaguar comme appréciation parmi les dieux bestiaux.

— Il a fallu longtemps aux jaguars, aux tapirs et aux condors pour gagner le ciel promis par ce cœur qui les protégeait du ciel. Si les créatures continuaient à chanter et à préserver la loi d'origine. Alors le ciel vint vers eux et les cités les plus resplendissantes de la mémoire ancestrale s'élevèrent sur la terre.

— Mais alors le pouvoir des suprêmes n'était pas aussi fort que celui de la bête ? demandé -elle

— Lorsque les eaux ont complètement recouvert les villes ancestrales dans le déluge, les villes solaires et leurs temples construits sur chacune des neuf terres ont été anéanties d'un trait de plume. Les races se sont noyées à l'intérieur de leurs maisons en s'accrochant à leurs biens matériels ou en étreignant leurs animaux de compagnie ou de ferme. L'inondation et la dévastation annoncées par les dieux de la faille ont été soudaines et ont été faites pour venger la mort de la bête du déluge et le vol de sa lumière. Seulement cinq siècles ont duré le vendeur de ces villes solaires qui ont défié le pouvoir des dieux de la faille, conclu le buma

Ils restèrent un moment à regarder tristement ces vallées à leurs pieds, mais aussi avec espoir.

Le buma continua l'histoire.

— Les jaguars d'origine divine qui habitaient les cités solaires avaient diverses nuances de couleur de peau, certains étaient dorés, autres couleurs de miel Selon la couleur de la tombe de sa naissance : c'était sa couleur de peau.

— Mais, qui est le véritable protecteur des races ? Kayla demandé .

— Le premier protecteur Kabala. Les jaguars ne croient qu'en Kasuma une créature qui les protège et qu'ils appellent leur mère et ils méprisent le pouvoir des dieux des ténèbres qui prévoient de détruire cette race par vengeance.

—— Alors Tuxe est l'héritier légitime de ces terres : un jaguar de lumière, dit Kayla.

— Un jaguar portant une armure d'ambre pourrait affronter une armée d'un millier de reptiles et les vaincre tous. Ce jaguar appartenait à l'ordre du jaguar. Il a juré de défendre les créatures des neuf terres contre les abus du seigneur de Monguí et de ses bêtes.

Alors les jaguars sont une race divine, dit -elle.

— Les jaguars ont été créés pour protéger la lumière du suprême et leurs créations pour les protéger des créatures des ténèbres, dit le buma, dans le passé, les jaguars partageaient leur feu avec l'humanité. Pour ce fait, ils ont été mis hors la loi.

Ils marchèrent en silence pendant un moment. Kayla était en train d'assimiler l'histoire que lui racontait le buma. Ils ont atteint bien en dessous où la montagne a commencé à s'élever.

Le buma l'a renvoyée en lui donnant un Tuma qu'il a sorti de son sac à dos.

— Prends , gardez-le bien et protégez-le . S'il en vient à l'affaire et que les dieux reptiliens parviennent à détruire cette création : mon successeur aura le pouvoir de redémarrer l'univers.

Lorsque Kayla descendit la dernière marche, elle leva les yeux et là dans le ciel se trouvait le condor Ika et leurs yeux se rencontrèrent comme toujours, quelle que soit la distance.

La montagne était fermée à tout dieu, bête ou mortel, et Kayla a emprunté ce chemin dans sa tenue de pèlerin et son bâton de marche.

Chapitre 19
La quête de Tuxe

Les Samas quittent leur physionomie lorsqu'ils quittent le temple pour secourir un objet de valeur ou une créature survivante. Ils abandonnent leur véritable identité d'oiseaux de paradis et prennent d'autres physionomies et formes banales et répugnantes pour ne pas être détectés par les bêtes qui abondent dans les terres ou les chasseurs des ténèbres.

Les samas s'adaptaient au climat. Après avoir laissé leur temple caché, ils ont assumé les physionomies des habitants, essayant de découvrir ce qui se passait dans la capitale de Cherrua . Le suprême de cette capitale allait être condamné par le suprême de Mongi qui revendiquait ces terres comme siennes.

Deux autres calendriers sont passés après la disparition de Tuxe. Les terres sans le pouvoir du suprême se sont assombries, dont Yargos a profité pour créer une nouvelle bête à cette époque avec l'aide des dieux reptiliens. Les dieux de la faille commençaient à se remettre de leur perte de force après avoir été nourris par les Yargos avec certaines des races faites prisonnières et créées par Tuxe pour les combattre.

Yargos espérait que cette nouvelle espèce de créature pourrait défier le pouvoir du nouveau suzerain que Sagi ferait asseoir sur le trône vacant.

— Nous devons abandonner notre immortalité, dit Sagi à ses amis, « si nous voulons trouver Tuxe.

— Si nous acceptons de voyager sur les terres mondaines de Monguí où vivent ces créatures condamnées à la mort, nous pourrions perdre notre immortalité, dit Avi.

— Et si Tuxe est déjà mort, dit Joe.

— Je crois qu'il a su résister à toutes les épreuves auxquelles il a été soumis par Yargos à Mongui et aux tortures des dieux dans la crevasse. Il est supérieur à ces créatures, dit Sagi.

— Mais s'ils menaçaient de tuer les races et de détruire leurs terres, alors il laisserait les dieux le tuer pour les sauver, dit Avi.

— Nous irons sur les terres pour le savoir, a déclaré Sagi.

Lorsque les samas sont descendus en tant que simples mortels sur les terres des races et se sont dirigés vers Mongi en tant que simples villageois, ils ont constaté que Yargos contrôlait déjà de nombreux villages et villes très proches de la frontière avec Cherrua.

Le plus grand territoire des neuf terres était dominé par les armées de Yargos. Ils n'ont trouvé aucune trace de Tuxe et peu importe combien ils ont demandé et essayé de trouver quelqu'un qui était au courant de l'arrivée de Tuxe à Mongi, personne ne leur a donné de raison. Ils ont décidé de retourner au temple qu'ils avaient laissé caché dans une forêt voisine de Mongui pour concevoir une stratégie de recherche plus efficace pour Tuxe.

— Et si nous allons dans la capitale Izmir et rencontrons l' officier suprême nommé par Tuxe lorsqu'il a pris le trône et lui révélons notre véritable identité, dit- Avi.

— La rumeur veut, dit Sagi, que le suzerain ait été évincé par le conseil manipulé à distance par Yargos, tandis que les dieux retenaient Tuxe prisonnier. » Ils en ont mis un autre à sa place. Si nous y allons, nous trouverons peut-être un Suprême imposé par Yargos et s'ils savent qui nous sommes, nous subirons le même sort que le Suprême.

— Mais si nous allons comme de simples paysans rendre hommage au nouveau suprême, sans trop attirer l'attention, peut-être que nous pourrons découvrir quelque chose, a déclaré Joe.

— Je vote parce que nous y allons, sans utiliser nos pouvoirs de simples mortels, et sans la marque qui nous trahit comme des êtres d'un autre temps, et voyons de nos yeux ce qui s'y passe pour prendre un chemin à suivre, dit- Avi.

— Très bien nous quitterons le temple caché et nous irons en simples pèlerins. Nous porterons nos massues comme des bâtons de marche , au cas où nous devions percer l'ennemi.

En chemin, ils ont rencontré d'autres marcheurs et pèlerins venus des villages voisins et qui veulent rencontrer le nouveau suprême. Ils se camouflèrent parmi la population et passèrent les contrôles de la ville d'Izmir. Lorsqu'ils atteignirent le palais qui était presque en ruine après la bataille des guerriers noirs et des gardes qui protégeaient le trône, ils trouvèrent des rangées de villageois qui voulaient voir le nouveau seigneur et demander sa bénédiction.

— Où est le suprême nommé par Tuxe ? ont demandé les samas à un habitant.

— Il s'enfuit, comme un voleur. Il nous a laissés à notre sort lorsque le conseil au complet a demandé sa démission, dit celui qui s'est ensuite présenté comme l'un des conseillers.

— Et les négociations de paix promises par le suprême Monguí si la suprême Malva se rendait aux dieux, demanda Sagi

— Mensonges purs, une farce. Lorsque Tuxe s'est rendu à Yargos, son pouvoir de protection a diminué et les commissaires à la paix envoyés par le Suprême Monguí se sont retirés, arguant de fausses excuses, dit le conseiller.

— Et qui est le nouveau suprême ? demanda Sagi.

— Un régent provisoire a été nommé, choisi d'urgence et sans quorum suffisant. Les conseillers qui s'y sont opposés ont été démis de leurs fonctions et d'autres emprisonnés. Je dois fuir tant que je peux , celui qu'ils vont mettre sur le trône des races est une bête. Celui-ci viendra dans quelques jours, tandis que Yargos enverra un nouveau suprême qui aura le pouvoir de gouverner toutes les nouvelles terres », a conclu le conseiller, qui semblait pressé de sortir de là.

Les samas étaient très préoccupés par cette nouvelle. Ils quittèrent les abords du palais et comme beaucoup d'autres ne virent pas le nouveau suprême , il n'était pas encore arrivé et le nouveau régent provisoire n'était pas vu.

Le palais et d'autres bâtiments voisins étaient dans un état lamentable en raison d'escarmouches lorsque Duka le général qui protégeait le suprême des guerriers d'Izmir et de Mongi qui gardaient le palais l'empêcha d'entrer. Lui et sa garde personnelle ont tenté de les attaquer, mais ils étaient trop nombreux et ils ont dû battre en retraite.

— Qu'allons-nous faire maintenant ? Demandé-Avi.

— Nous resterons ici pour voir la nouvelle identité du suprême. Nous allons regarder à qui nous avons affaire et trouver un moyen de le renverser. En attendant, nous logeons dans une pension à proximité pour les pèlerins et je trouverai un moyen d'entrer secrètement dans le palais pour en savoir plus , a déclaré Sagi.

C'était une chaude matinée tropicale. Un vent doux a soufflé de la montagne Gandua et cela aide à ce que la chaleur ne dure pas encore plus longtemps pour les peaux de cuivre de ses habitants.

Les gardiens situés dans les hautes tours de pierre de la ville peuplée d'Izmir, capitale de Cherrua, ont touché leur instruments à vent.

Le bruit des coquillages et le son des flûtes de roseau se répandirent dans les villages et les villes. Des sons qui se reproduisaient et résonnaient en même temps sur tout le territoire.

Les rues de l'entrée d'Izmir au palais étaient bondées de badauds qui avaient entendu l'appel et étaient venus voir le nouveau suprême.

Les samas étaient camouflés en pèlerins et avec l'apparence de locaux. Leurs belles plumes d'oiseau de paradis avaient fait place à des têtes de paysans grossiers et ils se mêlaient à la foule pour regarder passer le cortège du nouveau suprême.

La voiture du suzerain et ses escortes lourdement armées s'engagèrent dans la grande artère de la ville et empruntèrent la route menant au palais. Un groupe de cavaliers montés sur des reptiles envoyés par Yargos, le Suprême de Monguí, précédait la caravane et tenait les curieux à l'écart où circulait la voiture avec le nouveau Suprême.

Le soleil qui accompagnait l'attente des villageois ne brillait plus, il se cachait derrière un cumulus de nuages. La voiture où se rendait le suprême et sa suite entrait dans Izmir.

Lorsqu'il est descendu de la voiture, il a été entouré de gardes lourdement armés. Il était enveloppé dans un manteau avec une grande capuche qui ne révélait pas ses traits. De nombreux villageois ont calculé que la créature devait être énorme.

Quelqu'un a annoncé que le nouveau suprême s'occuperait de quelques villageois et villageoises le lendemain matin. D'autres ont déclaré qu'il répondrait à leurs demandes et réclamations en cadeau dès son premier jour de mandat. Avant de lancer leurs édits et les lois qui régiront les neuf terres.

Avec un plan en tête, Sagi et Avi se dirigèrent de l'auberge vers le palais.

Ils ne sont pas passés par la façade du palais, qui était déjà bondée de villageois hommes et femmes. Ils se dirigèrent vers l'arrière en évitant la foule essayant d'entrer dans le palais.

À l'arrière où les samas sont arrivés, il y avait une entrée secrète. L'un des anciens conseillers du Suprême attendait à l'entrée et a promis d'aider Sagi à entrer secrètement dans le palais.

Sagi est entré par ce tunnel qui était caché dans la partie ancienne. Ce tunnel le conduisit aux quartiers de l'ancien suzerain. Le conseiller l'a laissé à lui-même , il avait peur d'être découvert et Sagi a apprécié son aide.

Sagi entra dans les pièces qui allaient être conditionnées pour le suprême. Il se hâta de fouiller la grande pièce, désorganisant bien des choses. Ce qu'il cherchait devait être très caché et il l'a trouvé sous le lit de l'ancien suprême et très caché dans l'un des pieds du lit. Il y avait là le centre que ceux qui avaient mis le prisonnier suprême recherchaient tant.

Sagi en a déduit que l'ancien suzerain devait être vivant, afin qu'il puisse échanger sa vie contre ce centre. Il était tellement absorbé par ses réflexions qu'il ne se rendit pas compte que quelqu'un s'était glissé dans la pièce et l'étudiait en détail.

Se retournant pour trouver la sortie, Sagi se retrouva avec le visage d'une bête de taille moyenne, peut-être quelques centimètres plus grand que lui, mais plus robuste et lourd, la couleur de sa peau, ridée et écailleuse, était vert foncé . bien qu'il contienne certaines caractéristiques humanoïdes, il ressemblait beaucoup à celui d'un reptile de la savane.

— Êtes-vous un sama ? demanda le reptile en grinçant des dents, d'une voix rauque.

— Je croyais que vous donniez des bénédictions, dit Sagi, déjà remis du choc.

— En fait, je ne suis pas le suprême. Je ne suis qu'un faux-fuyant envoyé ici pour piéger des créatures comme vous qui ont l'intention d'aider l'ancien suzerain. Nous étions sûrs que tu trouverais le sceptre et ainsi nous n'aurions pas à prolonger la supplication du vrai suprême.

Ils se regardent tous les deux et Sagi est obligé d'assumer sa véritable identité.

Sans plus tarder, cette bête se lança sur Sagi qui parvint de justesse à éviter ses griffes, après quelques sauts la bête réussit à saisir Sagi par le cou et commença à le toucher avec sa langue.

— Vous êtes de la première ère, vous n'appartenez à aucune lignée de l'univers ancestral, il sera plus agréable de vous tuer, dit la bête.

Lorsque le reptile allait mordre Sagi au cou, il réussit à s'éloigner de la pince de fer et planta le bout du sceptre qu'il avait caché dans ses vêtements dans le cou de cette bête. L'énergie du Vang s'échappa et détruisit l'intérieur de la bête qui tomba au sol en se tordant de douleur.

Un cri terrifiant sortit de cette bouche irrégulière et secoua tout le palais, aussitôt l'alerte générale fut déclenchée. Sagi, tant bien que mal, réussit à retrouver le tunnel par lequel il était venu, poursuivi par des gardes qui hurlaient derrière lui.

Les samas s'enfuirent au loin. Une poursuite acharnée fut lancée à sa recherche. Ils se dirigèrent vers Malva, où les guerriers de Monguí ne purent les trouver.

— Comment ce faux suprême en est -il venu à occuper le trône qui était le trône de Tuxe et comment le faire sortir de là pour arrêter la mort des races, dit Joe.

Les Samas se demandèrent comment détrôner le faux suprême et tentèrent d'élaborer un plan pour récupérer le trône et retrouver Tuxe son véritable propriétaire.

Chapitre 20
Cherrua

Cherrua était la première terre. C'est là qu'une course a vu la lumière briller pour la première fois. C'était l'une des cités ancestrales les plus développées. Ce n'était plus qu'une ville de ténèbres envahie par des bêtes et réduite en cendres.

Certains des grès qui ont été utilisés pour construire la ville au bord d'une mer verdâtre légèrement venteuse étaient dispersés dans toute la région. Ce n'était plus la ville prospère. Les guerriers reptiliens étaient partout et ont apporté de gigantesques pierres d' une rivière voisine pour construire des murs et des tours. De là, ils surveillaient les attaques et les incursions de Duka, le général de l'ancien suprême.

Cherrua était la terre où la première humanité est née. Leurs ancêtres sont sortis des ténèbres sous forme de bêtes et ont été transformés en humains au contact de ce soleil Tulka. Ils ont construit le temple et ont remercié le soleil et l'être qui les a créés de leur avoir donné une forme décente et de leur avoir fourni un souvenir.

3 calendriers de pierre équivalents à 1500 ans s'étaient écoulés après que les terres aient été purifiées après ce déluge.

Les ancêtres ont capturé toutes ces connaissances célestes dans des papyrus et ont créé les codex afin que la science, les mathématiques et l'architecture puissent se développer.

Kayla était seule et indécise. Elle ne serait plus protégée par la lumière de la montagne et la sagesse du buma. Il doit courageusement affronter son destin et aider les samas à sauver les courses. Il ne possédait qu'une transcendance donnée par le buma pour affronter ténèbres et dieux bestiaux.

Kayla ne savait pas où ils étaient ni comment trouver les samas. Elle devait se fier à son instinct et à son entraînement dans la forêt d'ambre. Même si ce n'était pas la même chose de se faire guider ici qu'à Cherrua.

Dans une forêt, il pouvait suivre les traces d'animaux et d'insectes pour s'orienter dans ces terres.

Il a suivi ce chemin qui semblait être une route principale. Kayla pouvait voir les traces des chariots et des bêtes, ainsi que les traces des marcheurs et de leurs bâtons. Ce chemin la mènerait quelque part.

Sa carrure montagneuse semblait appropriée pour cette stature, ni trop petite ni trop grande, avec des cheveux d'un noir profond qui tombaient sur ses épaules. Soudain, elle a été surprise et si les samas ne pouvaient pas la distinguer dans sa nouvelle apparence, ils l'ont prise pour une ennemie.

Elle avait une petite marque sur son front qu'elle a d'abord pensé être une tache facile à enlever avec l'eau de ce ruisseau. Un ruisseau qui traversait la route et venait sûrement de la montagne.

Il portait un pantalon de coton blanc à rayures bleues, une chemise à manches longues qui lui tombait sous la taille. Une large ceinture de plusieurs nuances de couleurs, avec des figures d'animaux de montagne, enroulée autour de sa taille.

Après avoir parcouru un long chemin, Kayla a fait une pause au bord de la route poussiéreuse. Un chemin qui pourrait la mener au premier village. Il l'a fait pour éclaircir ses pensées. Il n'y aurait pas de retour en arrière et son aventure serait longue et il ne saurait pas quand il reviendrait à la montagne.

Il choisit l'ombre d'un saule qui lui permit de contempler une dernière fois l'imposante montagne. Alors que midi approchait , selon son horloge biologique, il prit un léger sandwich qu'il sortit de son sac à dos et l' accompagna d'un bon verre d'eau du lac.

Puis il médita quelques minutes et confia son esprit au père de la montagne afin qu'il reçoive son esprit au cas où il périrait dans ces terres inconnues pleines de dangers.

Après avoir vidé son esprit, il a lu un paragraphe de l'un des deux codex qu'il portait avec lui. Parfois, ces lectures l'encourageaient à poursuivre ses recherches, qui consistaient à trouver la vérité de tout.

Les créatures ne devraient pas vivre dans le noir. Ils doivent être informés de tout ce qui menace leur vie et leur tranquillité d'esprit.

Elle était tellement concentrée sur la lecture et sur ses pensées qu'elle ne remarqua pas plusieurs silhouettes qui l'entouraient furtivement, cachées derrière les arbres.

— Je dirais qu'il ne faut pas attaquer cette créature, on ne connaît pas son origine, a dit le plus petit des trois reptiliens.

— Nous avons faim et notre maître nous a interdit de manger un paysan ou un paysan, et cette créature ne semble pas être un paysan », dit celui qui semblait mener la charge.

— Mais il nous a aussi dit de ne pas attaquer ou déranger un être s'il appartenait à la montagne et d'après ses vêtements et ses couleurs c'est un de ces pèlerins ennuyeux, dit le plus petit des trois assaillants.

— J'ai dit qu'on s'attaque à la créature qui semble inoffensive et qui a apparemment déjà confié son âme au créateur. Un banquet avec elle serait bien avant de remplir la mission d'espions que le maître nous a confiée. En outre, nous serons privés de notre nourriture préférée durant cette mission.

Les assaillants n'ont pas réalisé que la créature en question était alertée.

Kayla avait des sens très développés et a remarqué que certains oiseaux cessaient de chanter car leur habitat était perturbé par la présence de ces pillards.

Lorsque les trois assaillants qui planifiaient l'attaque derrière un arbre épais ont de nouveau regardé l'endroit où se trouvait l'alpiniste, ils ont constaté que la créature n'était pas là, bien que son sac à dos et d'autres effets personnels s'y trouvaient. Ils ont tardé à réagir trop tard.

— Messieurs, ils me cherchaient, dit une voix à l'épée de ces reptiliens.

La réaction fut lente et ils ne parvinrent pas à sortir leurs longs couteaux de chasse cachés dans leurs lourdes bottes. Le maître leur avait dit de ne pas utiliser leurs épées courbes qui pourraient les trahir.

Sans un mot de plus, Kayla les chargea avec son bâton de pèlerin et leur assena des coups précis, d'abord sur leurs mains pour les empêcher de dégainer leurs couteaux, puis sur leurs jambes fléchies. Bien qu'elle soit plus petite et moins robuste que ces pillards, elle était plus agile et habile avec le bâton que tout montagnard doit manier avec habileté.

Pour Kayla, affronter ces reptiles avec son bâton, sans utiliser ses autres armes secrètes, était une chose facile et même amusante. Ce sont ces bandits qui ont dévasté ces populations.

Les plaintes auprès du buma de la montagne n'ont pas cessé et ce fut l'occasion de faire passer un message clair que les villageois, hommes et femmes, et autres habitants proches de la montagne n'étaient pas seuls.

—Lorsque vous voyez une paisible créature montagnarde croiser votre chemin, vous feriez mieux de la laisser passer. Elle veut seulement apporter un message de fraternité aux races les moins favorisées, dans ces endroits où la main des suprêmes n'atteint pas, disait Kayla à ces reptiliens qui se tordaient sur le sol au bord de la perte de connaissance.

Kayla a ramassé son sac à dos et d'autres affaires et a continué son chemin en fredonnant une chanson. Les oiseaux chantèrent à nouveau au sifflement silencieux de la créature montagnarde.

Kayla a suivi son chemin qui l'a menée à l'entrée principale d'une ville et ses rues désolées. Sans doute la plus grande de toutes les villes qu'il avait traversées.

Kayla trouvait étrange de voir cette taverne à l'entrée de cette ville. Les gens que j'ai vus travailler dans les champs semblaient être des gens très simples et attachés à leurs principes car ils étaient très proches de la montagne qui pouvait les protéger.

Lorsqu'il passa devant le local, il s'arrêta et lut l'enseigne accrochée au mur avec des lettres apparentes qui n'étaient pas des glyphes , mais un simple langage de barman.

« La taverne a une corne.» « Si vous trouvez l'autre corne, cette taverne sera la vôtre. Ci-dessous, elle a lu: "où la chicha est gratuite"

Il semblait impudent à Kayla de voir l'être qui se tenait dans l'embrasure de la porte comme s'il attendait des clients sans méfiance. Il lui sourit avec bienveillance et à en juger par la couleur brune, ses vêtements ressemblaient à ceux d'un sama.

— Entrez dans l'adorable taverne de montagne, il y a un cadeau pour vous ce jour.

— Non, je ne suis pas partisan des boissons alcoolisées.

— Cette fille n'est que du maïs doux et n'a pas été fermentée, c'est uniquement pour rafraîchir la gorge et elle ne produit que du bien-être, de la joie et de l'euphorie à celui qui la boit.

— Non, merci pour votre gentillesse " dit Kayla, mais elle s'arrêta brusquement.

Cependant, la curiosité l' emporta. S'il voulait savoir où étaient les samas, ces clients ou l'aubergiste devaient savoir quelque chose. Il n'a pas pu prouver que la fille qu'ils prétendaient être la plus riche de la région. Elle ne devait ni manger ni boire quoi que ce soit des terres car elle risquait de perdre sa transcendance et le pouvoir que le buma lui avait donné.

Elle devait continuer à manger et mâcher les herbes qu'elle transportait dans plusieurs petits sacs attachés à sa ceinture. Tout était pollué par la pensée de la bête qui était partout dans les terres.

L'intérieur de la taverne était confortable et bien qu'il y ait très peu de visiteurs, la musique du moine qui jouait de la flûte sur une petite estrade remplissait son esprit. Il s'assit sur une chaise haute au bar et fit face au barman qui leur sourit et lui versa un verre de chicha jaune épaisse.

Avi a été la première à reconnaître Kayla lorsqu'elle a franchi la porte de cette taverne par curiosité et à cause du panneau qui encourageait les promeneurs à partager leurs histoires avec les clients. Elle ne croyait pas que c'était vraiment le temple camouflé. La stratégie des samas était de reconquérir chacun des villages loin des radars de la bête et du nouveau suprême.

Après avoir étreint son amie Avi et rattrapé les événements dans les terres, elle a été emmenée par lui au deuxième étage, où Avi lui a montré sa chambre puis l'a amenée à Sagi qui l'a accueillie avec un sourire chaleureux.

— Vous serez un magnifique conteur si vous savez lire Prenez de côté le livre que le buma vous a donné sur les enseignements de la montagne et les codex des anciens suprêmes pour donner un peu de clarté à l'esprit de ces villageois. Nous faisons le tour des villages. Nous installons notre taverne offrant de la chicha et de la nourriture aux gens et nous découvrons les plans de la bête et son itinéraire, dit Sagi.

Chapitre 21
Le codex de la montagne

Kayla a accepté avec plaisir la proposition de Sagi. Elle était bien formée dans les codex de montagne et dans les lectures quotidiennes qu'elle faisait avec les professeurs quand ils lui enseignaient les récits de la création. Ceux-ci seraient la base pour comprendre les codex du suprême et des dieux de la faille.

Kayla n'a pas tardé à s'adapter à la stratégie du sama de gagner le cœur des villageois.

Dans la taverne, les paysans et les paroissiens habituels parlaient du nouveau suprême venant de Monguí. D'autres parlaient d'un Troglo défiant la puissance des guerriers de Duka . Une bête entraînée à se cacher pour affronter le suprême et son armée. Pendant qu'ils attendaient une autre narration de Kayla qui leur réchauffait le cœur.

Les samas se mêlaient au peuple comme un de plus, pour découvrir des espions du suprême et parfois des soldats qui un jour étaient des soldats commandés par Duka et qui avaient changé de camp. Kayla a raconté de sa voix mélodieuse des histoires sur la création des races ou des histoires sur le buma des montagnes et son aventure dans les terres ancestrales.

La stratégie était payante. L'esprit des villageois est redevenu clair et leurs chants et prières se sont intensifiés à travers les champs, ce qui a bouleversé le suprême qui, chaque jour, envoyait plus de soldats dans des régions reculées pour tenter de soumettre les villages. Il a également offert des primes pour les chefs des samas.

Pour sa part, Duka a bénéficié du travail de Kayla et des samas et a amené plus de volontaires à rejoindre son armée en n'ayant pas le pouvoir de la pensée de la bête dans leur esprit.

Ils se trouvaient dans une ville, la plus grande, qu'ils avaient visitée en ces jours de raids intenses. Ils ont apporté les histoires aux gens qui attendaient avec impatience les samas et leur taverne itinérante. Chaque fois, la taverne s'est agrandie pour recevoir plus de visiteurs venus écouter les histoires des lèvres de Kayla.

La taverne était occupée à cette heure de l'après-midi. Les villageois avaient déjà quitté les tâches de la journée et allaient se reposer de ce dur labeur de labourer la terre. La nouvelle d'un nouveau conteur qui ne venait pas de la bête les encouragea à le rencontrer.

Kayla a pris la scène où les chanteurs et les conteurs ont offert leur art au public. Ce jour-là j'étais un peu nerveuse et je regarde où était Avi qui me retourna un sourire et un geste de la main m'encourageant à continuer. Elle ouvrit le livre qu'elle avait sorti de son sac à dos et choisit une page au hasard.

— Ça ne vaut pas tant de sacrifices et aller si loin pour voir une ville avec un fleuve, notre ville peut aussi être le paradis — dit un paroissien en l'interrompant.

— On ferait mieux d'éteindre la lumière et d'aller se coucher, la route appartient à la bête, lance un autre client.

C'étaient des saboteurs normaux que la bête engageait pour gâcher tout discours ou récit contre elle, mais ils étaient facilement mis en place par Avi qui, d'un seul geste, les laissait sans voix.

Les samas, devant une rumeur de certains espions, ont déplacé le temple dans un village près de Mongui pour voir si ce que disaient ces rumeurs était vrai.

La nouvelle de la faiblesse de la bête parvint aux samas par l'intermédiaire d'un espion et les samas se rendirent à Mongi pour examiner l'état de cette bête. Ils ont laissé Kayla au temple, qui était fascinée par ce qu'elle a trouvé dans la bibliothèque sur le monde antique et les anciens.

Alors que les samas se dirigeaient vers un point à la frontière à travers lui, en chemin, ils ont été pris en embuscade par un groupe de reptiliens. Ils avaient caché leurs bâtons et leurs gourdins et ne pouvaient rien contre leurs agresseurs. Mais soudain, Kayla est apparue en agitant son bâton de pèlerin et les a vaincus. Maintenant, les agresseurs étaient inconscients.

— Comment avez-vous réalisé que nous étions en danger ? Avi a demandé.

— Quand ils m'ont laissé garder le temple, je lisais quelque chose sur la bête du déluge. Je ne suis pas d'accord avec ce qu'ils disent d'elle et ce que l'informateur a dit.

— Mais comment les as-tu battus avec cette branche, demanda Sagi.

J'ai utilisé ma transcendance donnée par le buma », a répondu Kayla.

Les samas ont été tellement impressionnés et ont laissé leurs dégâts, qui étaient en vérité peu nombreux, accepter la demande que Kayla leur a dit qu'elle voulait être l'une d'entre elles et avoir les mêmes pouvoirs.

— L'arme que j'utilise, je l'ai prise dans ma forêt intérieure, c'est un bâton avec des pouvoirs spéciaux et parfois on l'utilise dans les travaux de terrain, là en montagne et bien que les assaillants aient de longues épées, mon bâton bien manié peut les vaincre parce qu'il a la lumière de la montagne. Quant à la bête, elle est en bonne santé, elle n'est soumise que par le machisme de Yargos.

— Tu veux toujours être l'un d'entre nous et devenir un sama, demanda Sagi.

— Oui, le buma m'a recommandé d'apprendre de vous, afin que je puisse réaliser plus de transmutations

— Mais plus tard tu ne pourras pas aspirer à être un buma de la montagne qui a plus de pouvoir que nous, car tu as contaminé ton chemin avec ce combat.

— Oui, j'accepte mon destin, je serai l'un de vous et j'espère que vous m'enverrez faire partie de ces clubs avec lesquels vous battez les bêtes et les reptiliens.

Chapitre 22
Codex de la bête

Kayla a appris à lire et à écrire rapidement les codex écrits par les dieux de la grotte et de la bête. Il a trouvé d'autres codex écrits par les Suprêmes à la première ère. Il a comparé les deux versions qui détenaient toutes deux la création de l'univers. Il est arrivé à la conclusion qu'ils devaient vaincre pour sauver le monde ancestral, ce n'était pas la bête, mais les dieux de la faille, et il l'a donc communiqué à Sagi.

Kayla à l'intérieur était confuse. Les anciens codex du temps éternel donnent les dieux reptiliens cachés dans la fissure comme créateurs de l'univers. Elle a la version des bumas des montagnes et ses recherches l'amènent à se confronter à cette vision de la création portée par les bumas qui ont écrit les derniers codex.

Kayla demande à Sagi la permission d'aller à Mongi et d'enquêter plus avant dans la bibliothèque de Yargos, mais Mongi trouve qu'il est trop dangereux pour Kayla d'y aller.

Les samas et Kayla ont visité de nombreux villages du côté sud de Cherrua et ont apporté les codex traduits par Kayla avec l'aide de Joe. Ils ont dévoilé ces écrits anciens dans la taverne avec les lectures. Elle a parfois donné des conférences dans les écoles sur la création de l'ancien univers.

La popularité de Kayla en tant que conteur des anciens codex grandit, atteignant les oreilles de Yargos qui n'avait pas prêté attention à Rako, le nouveau suzerain.

Kayla voulait voir les originaux qui étaient conservés dans la bibliothèque centrale de Monguí et certains dans la bibliothèque personnelle de Yargos. Elle aurait souhaité avoir une meilleure vision pour relever le défi. Le narrateur des codex de la bête, dont le visage était caché derrière un masque, prétendit détenir la vérité des faits.

— Plus je comprends le destin des races, plus je gagne en puissance dans ma vision. Cela m'aide à gagner plus de transcendance, maintenant je comprends mieux le rôle et le pouvoir de la montagne et du buma dans toute cette interprétation des dieux et des suprêmes, a dit Kayla aux samas.

— Si nous parvenons à démontrer devant le conseil que ce sont les suprêmes qui ont donné vie aux races et au monde ancestral et non les dieux de la faille, la prétention du suprême Monguí sera nulle et alors le trône devra être rendu à ses propriétaires et héritiers légitimes de Kabala : les races, dit Sagi

La rumeur disait que le nouveau suprême assis sur le trône des races nommé Rako qui venait de Monguí avait apporté avec lui des livres et des codex écrits par les anciens dieux bestiaux.

Rako, passionné par le sujet, a autorisé Kayla et ses compagnons à visiter la bibliothèque et à lire les codex originaux.

Rako ne savait pas que Kayla était une créature de la montagne et qu'elle possédait trois transcendances acquises en étudiant les codex. Il l'invita à Esmir avant de se rendre à Mongi avec son père Yargos pour affronter la vérité de création.

— J'irai seule à la rencontre d'Esmir avec le Suprême et j'essaierai d'espionner Tuxe et les allées et venues du Suprême Terrien, dit Kayla aux samas réunis dans le hall central.

— Nous prendrons notre temple et nous le mettrons en taverne très près d'un quartier du centre de la capitale et nous serons prêts à vous secourir si quelque chose ne va pas, dit Sagi

— C'est une excellente occasion de découvrir quels sont les nouveaux plans suprêmes. Aussi pour savoir comment est la nouvelle bête qui a effrayé toute la population avec ses excès et ses meurtres. Rako lui-même a décidé de l'éloigner de palais, selon les rumeurs, dit Kayla.

Chapitre 23
La nouvelle bête

En réalité, la bête que tout le monde craignait avait perdu ses pouvoirs. Yargos a dû se rendre dans la grotte pour demander aux dieux de lui envoyer une nouvelle bête pour soutenir et protéger le nouveau suprême qui assumerait le trône des races.

Près de trois mètres de haut et d'apparence humanoïde, c'était la bête. C'était une nouvelle race créée par les dieux de la faille. Il avait la capacité de vivre sur la terre avec certaines limitations. Il était destiné à combattre les armées de l'ancien suprême et des samas.

La bête parlant lentement, avec des intervalles de temps, puisqu'elle étudie le langage des bêtes de la caverne et méprisait la parole humanoïde, considérant qu'elle n'était pas une race ascendante.

Il essaya de rire sans plus, il n'y arrivait pas, il exprimait seulement son rire avec une grimace montrant ses crocs comme le font les dieux reptiles du crack. La bête voulait être un dieu. Il déteste les terres, les races et les humains.

La bête ne criait pas, mais parfois ses yeux s'humidifiaient lorsqu'elle était très exposée au soleil. Lourd de corps, quand elle était dans les hautes terres. Il s'est entraîné pour conquérir la montagne. Dans les basses terres de Monguí, il était très agile, presque comme un humain.

Un peu grossier parlé. La bête essayait d'être courtoise et raffinée lorsqu'elle traitait avec un sama ou un suprême des hautes terres. Avec les jaguars, elle était impolie et même impolie. Dans son enfance, il voulait être un jaguar. Parfois, il buvait de l'eau des marais et l'enduisait en essayant de camoufler son odeur. Elle était hermétique dans ses relations avec ses subordonnés. Il se croyait de naissance noble et aspire un jour à être un demi-dieu comme ses créateurs ou suprême comme Yargos pour vivre éternellement dans la faille.

Yargos, la suprême de Monguí, cité des ténèbres, veillait et protégeait le rêve du Troglo dont la pensée traverse les abîmes.

Le Troglo est venu parmi les dieux bestiaux de la grotte, avec le pouvoir de dominer la bête déluge qui possède l'énergie du Nuang pour détruire la création des suprêmes.

Le Troglo somnolait paisiblement et quand il avait faim il se levait, quittait la grotte et faisait quelques pas dans cette forêt difforme. Il a attrapé une créature pour satisfaire sa faim. La bête se voyait reflétée dans cette flaque d'eau et n'aimait pas son apparence, elle avait l'air très grande pour sa taille et sa graisse. Les dieux bestiaux l'ont trompée en lui donnant ce regard. Ils ont dit que c'était la bête plus belle jamais créée. Elle a juré de transformer son apparence et de se venger des dieux lorsqu'elle aura accompli la tâche pour laquelle elle a été créée.

— Tout ce qui vit dans ces ténèbres a été créé avec cette énergie négative des Nuang que les samas ne peuvent pas détruire, demanda la bête à Yargos

— Les samas sont des créatures difficiles à tuer, lui dit Yargos.

— De quoi ai - je l'air ? demanda le Troglo.

— Comme un reptile des prairies. Les dieux bêtes de l'ère primitive ne conçoivent que ces formes. Ils ne reconnaissent pas les autres formes qui ont été créées à l'ère éternelle de la lumière, dit Yargos.

Elle a reçu le baptême des griffes de Yargos qui lui a donné le nom d'Eleonora, afin que chaque habitant des neuf terres se souvienne de son nom. Le Troglo devrait parcourir tous les champs et inonder le cœur de ces races de sa présence.

La bête devait leur faire oublier la figure galante de cet ancien jaguar ancestral qui les avait sauvés de périr dans le déluge, lorsqu'il les sortit des grottes et leur donna sa canne pour qu'ils s'illuminent dans les ténèbres.

— Vais-je être le nouveau souverain suprême des neuf terres ? demanda la bête.

— Tu vaudras mieux que ça, dit Yargos, tu seras le protecteur du suprême qui siège sur le trône des races. Vous serez le plus grand des guerriers des neuf terres, surpassant les légendaires jaguars de Malva dans leur bravoure. Tant qu'ils vivront, les races n'auront aucun espoir.

Chapitre 24
La ville d'Izmir

Izmir, la capitale de Cherrua, était située dans une vallée du nord. C'était la plus brillante et la plus développée des villes en raison de sa proximité avec la montagne Gandua. Le commerce avec les montagnards qui descendent leurs produits sur les grands marchés artisanaux et agricoles lui font la richesse.

Izmir a eu un passé sombre et certains événements se sont produits dans une période lointaine, à Izmir lorsque les pandémies envoyées par le suprême Monguí ont frappé ses habitants. Puis une période de famine a ravagé la région et le QI de la population est tombé à zéro et une période d'imbécillité s'est installée. Il faudra attendre le retour des samas pour qu'ils brillent à nouveau avec leurs codex et leurs enseignements aux races. Mais la ville et sa population ont subi un retard de développement d'au moins cent ans. Cette période honteuse n'a pas été enregistrée dans les archives des dirigeants suprêmes qui ont gouverné cette ville pendant plus de 500 ans.

Une solide caravane bien équipée avec une centaine de soldats avançait dans ces chemins sauvages qui n'étaient pas des chemins du cœur , mais de la bête. Ils étaient déterminés à mettre fin à l'insurrection qui se levait au sud de Cherrua contre la nouvelle suprême.

Ils sont partis très tôt ce matin d'été d'Izmir vers ces terres assiégées par les guerriers de Monguí.

Les conseillers et hautes personnalités s'exilèrent et cherchèrent un endroit près de la capitale pour se réfugier et échafauder un plan pour reconquérir le trône.

— Après avoir éliminé les gardes à l'entrée, une bête a été la première à s'introduire dans les jardins après avoir arraché les grilles de fer du palais, où se trouvait le trône du souverain suprême qui gouvernait les destinées d'Izmir. Les soldats et les gardes d'honneur ne pouvaient rien contre un tel monstre », a déclaré un conseiller qui a trouvé refuge dans la grotte où se réunissaient les rebelles.

Chef rebelle Duka et ancien général de l'ancien suzerain, écouté l'histoire sans interrompre puis envoyé un soldat pour localiser ce conseiller dans un abri voisin.

Duka était celui qui protégeait les villages du sud des pillards envoyés par Yargos. Il a libéré avec sa troupe de rebelles des routes fermées et gardées par des soldats du nouveau Suprême.

Duka a été le premier des rebelles à voir Rako lorsqu'il a demandé une audience, se faisant passer pour un envoyé pour les races qui voulaient savoir ce que l'ultime offrait si les rebelles se rendaient. Urulu bras droit du nouveau suprême, d'ascendance humaine, qui connaissait toutes les langues des races, le reçut et l'emmena devant le trône où le suprême assista aux plaintes des divers villageois.

Duka n'avait jamais vu une créature des ténèbres. Il ne savait pas de quelle race était Rako. Son apparence le troublait, et assis sur ce trône de pierre, il ressemblait plus à un dieu des crevasses dont Kayla parlait dans ses contes. Duka ne pouvait voir son aura nulle part et pensait que Rako était un imposteur.

Rako est apparu devant Duka en imitant les manières de l'ancien suprême et Duka en voyant ce suprême et son visage était rempli d'espoir pendant un moment. Puis il mâcha cette herbe que Kayla lui avait donnée pour empêcher les pensées du Suprême d'altérer les siennes, et il le vit tel qu'il était. Il sentit une flamme de pouvoir et de rébellion parcourir tout son corps. Duka se rattrapa et fit une révérence à Rako qui lui rendit son regard avec un sourire et un clin d'œil très étrange.

— J'offre aux rebelles la paix et la réconciliation, le pardon à tous ceux qui acceptent le credo des dieux du crack et se soumettent aux nouvelles lois du Suprême Monguí Rako lui a dit.

Duka lui a donné un coup de pied et est parti.

Duka a compté les personnes réunies dans ce conseil provisoire, dans ces grottes où elles se cachaient, et leur a donné des détails sur la véritable identité du Suprême qui n'avait aucun don pour gouverner la terre et les races et ce qu'il voulait vraiment, c'était son trône.

— Notre suprême est perdu dans les ténèbres, dit un des conseillers, « peut-être mort, nous devons invoquer l'amendement de révocation pour pouvoir nommer un nouveau suprême et créer un gouvernement provisoire dans ces terres du sud dont les populations ne sont pas fidèles à Mongi merci au secours des samas.

— Je propose que nous nommions Alda, dit un autre chef de conseil, « c'est le plus sage de nos conseillers, qui a été consulté par notre Cour suprême disparue sur les plus grandes décisions, nous sommes convaincus qu'il peut unir à nouveau l'État et qu'il donnera pouvoir au nouveau général qui commandait son armée.

Alda, un humain qui partageait la lignée des faussaires, une race de la montagne, est nommé à l'unanimité, le conseil pense que cette lignée qui domine le feu pourra vaincre le suprême Monguí et protéger le feu jusqu'à ce que Tuxe récupère son trône où il a été assis Rako.

Alda a été intronisé par Sagi lors d'une cérémonie simple, et il a remis le sceptre qu'il a réussi à récupérer à Izmir et les artisans venus de la montagne ont apporté un trône de cèdre, un bois noble qui donnerait des pouvoirs au suprême des races qui devrait pacifier le pays et renverser le faux suprême siégeant à Izmir.

Le buma des montagnes envoya ses salutations au nouveau suprême et une couronne de fleurs sauvages. Le buma espérait que lorsque les conditions seraient propices pour que ce rebelle suprême escalade la montagne pour être oint dans les eaux du lac des visions et obtenir ses bénédictions.

Alda a confirmé Duka comme général de son armée. Il lui ordonna de diriger une petite armée pour arrêter une avancée envoyée par Rako qui ravageait les terres proches de l'est. Tout près du fleuve Mekon se trouvaient les soldats de Rako détruisant les récoltes et abusant des villageois.

Lorsque ces terres seraient libérées par les rebelles, elles seraient placées sous la protection du nouveau souverain suprême du sud, qui annexerait ces villes à la nouvelle carte qui commençait à se développer.

Un autre problème encore plus grand troublait Duka qui avait réussi à contenir l'armée que Rako avait envoyée sur ces terres pour arrêter l'insurrection. Le gros de l'armée de Rako a péri dans cette bataille et Duka a réussi à apprendre quelques secrets de ses mouvements et de ses plans.

Duka s'est présenté pour une autre réunion dans la grotte avec le nouveau suprême et ses conseillers.

— Une nouvelle créature créée par les dieux pour remplacer l'ancienne bête qui ne répondait pas aux exigences des dieux a été créée et son domicile est dans la vallée de la mort. C'est un Troglo qui a défié tous les guerriers des races et promet une renommée et des richesses illimitées qu'il cache dans la grotte. De nombreux mercenaires sont venus d'autres pays pour l'affronter, et sa renommée et son pouvoir ont grandi. Il est de nature rebelle, heureusement pour nous. Il fait ce qu'il veut sans tenir compte des ordres de Yargos ou des dieux.

— Nous devons agir avec prudence, cela pourrait être un piège pour nous laisser voir", a déclaré Alda.

— Nous allons tuer cette nouvelle bête, dit Duka en se levant de son siège dans un geste courageux.

— Les dieux de la faille ont créé cette bête dans un but plus ambitieux. Je pense que nous envoyons des espions pour savoir comment nous pouvons y faire face, peut-être devrions-nous consulter Sagi qui s'est déplacé furtivement sur tout le territoire. Peut-être pourra-t-il s'approcher de cette nouvelle bête sans être vu, dit -Alda

Sagi a dû s'excuser lorsqu'il a été présenté par Duka au conseil.

— Je connais l'identité de la nouvelle bête : c'est un Troglo. Cette bête a été décrite dans le journal que Tuxe a laissé sur les nouveaux dangers auxquels ils seraient confrontés . Cette bête ne peut être tuée que par une autre créature spéciale et nous la recherchons. J'irai rencontrer le buma, il a des informations là-dessus. Ensuite, nous prendrons une décision sur la façon d'y faire face ou de trouver l'être capable de soulever cette épée mythique que Tuxe a laissée pour la détruire, dit Sagi.

Duka a été envoyé par Alda aux frontières. Il amenait toujours un petit groupe de guerriers experts en guérilla.

À la rumeur selon laquelle Yargos déplaçait des troupes vers les frontières pour soutenir les armées de Rako en raison de la perte de ses armées. Ces guerriers n'étaient plus humains ou un mélange d'humains et de reptiliens, comme l' armée de Rako était composée . C'étaient des bêtes et des humanoïdes et toutes sortes de reptiles transformés en guerriers par le pouvoir du sceptre de Yargos.

Les guerriers des ténèbres, lorsqu'ils attaquaient les rebelles, venaient équipés d'un arsenal d'épées et de lances fabriquées par leurs forgerons dans les fours de Mongui .

Les suprêmes qui étaient autrefois nommés par Tuxe pour protéger ces terres et qui ont construit les villes ancestrales et leurs murs, étaient maintenant à l'extérieur de leurs villes dispersés et chassés par des guerriers reptiliens impitoyables

Il était difficile pour Duka de lutter contre une telle armée et il dut se replier pour protéger l'entrée au sud, là où Yargos voulait faire avancer ses troupes. Pour protéger la forteresse du sud, Duka a dû rassembler une armée tout aussi puissante.

Avec les rebelles qu'il avait, il n'a réussi qu'à retarder les avancées de Yargos et à couler des barges avec des vivres et des articles de guerre, ce qui lui donnerait le temps de concevoir une autre stratégie.

Alors que Duka et ses rebelles se préparaient à défendre la frontière sud, l'armée de Yargos était déjà sur le point de franchir la frontière nord.

Chapitre 25
La purge

C'était l'an 260 du décompte court et la purge fut décrétée par Yargos de Mongi. Le but était que les rebelles qui refusaient d' accepter son règne se rendraient aux exercices de Rako.

Yargos a décrété une purge de 10 ans. Dans ces années, non seulement les samas et les buma de la montagne seront persécutés, mais aussi quiconque s'opposera aux nouvelles dispositions. Tous ceux qui vivaient dans les neuf terres devaient se soumettre au Monguí suprême.

Après la mort du dernier Suprême vint une période de troubles.

Yargos en profita et décréta la purge et la persécution des samas et de tous ceux qui aidaient les races et exigea que les terres du sud soient retourné aux bêtes.

Yargos avait ordonné à ses sculpteurs de construire neuf calendriers en pierre, âgés chacun de 500 ans, pour mesurer le temps des courses. Chaque calendrier serait placé sur chacune des neuf terres et lorsque ce court décompte serait terminé, cette race et cette terre seraient exterminées .

Les horloges en pierre étaient situées sur plusieurs places principales et étaient des lieux très fréquentés et même des sites touristiques pour que les samas et les courses puissent voir le temps passer.

A cette époque, tous les aspirants à Hugaxas et autres êtres capables de retrouver le chemin tracé par Tuxe dans les ténèbres pour vaincre Yargos et sa bête furent persécutés.

Au cours de ces premières années, les samas ne pouvaient presque rien faire pour saper le pouvoir de Yargos, qui était plus fort dans les terres, et ils n'avaient pas trouvé où se trouvait Tuxe, ni trouvé un adversaire digne de ce Troglo.

La nouvelle bête était plus puissante que la puissance du ciel et les races ont été expulsées des bibliothèques, des enceintes sacrées et des temples où la connaissance était conservée. La véritable histoire des mondes ancestraux a disparu et sans eux les races étaient dans l'obscurité totale.

Rako était la créature que le suprême de Monguí, Yargos envoya pour occuper le trône des races, il fut oint de la marque des dieux de la fissure dans le palais de la ville d'Esmir protégé par le Troglo qui avait persécuté et tué de petits des poches de résistance composées de rebelles sous le commandement de Duka qui n'ont pas voulu écouter les raisons de Sagi devant le conseil et sa stratégie pour retirer le nouveau suprême et la bête des neuf terres sans causer plus de morts et de destructions.

Rako n'avait aucun souvenir de son origine, bien qu'on lui présente parfois des images qui n'ont aucun lien avec sa naissance et qui le hantent. Il avait de très vagues souvenirs de cette ville, d' animaux et de bêtes très anciens , à l'esprit reptilien, qui dominaient la création et qui moururent quand cette lueur brillait dans cette mer qui transformait toutes ces bêtes en oiseaux et papillons qui prenaient leur envol dans ce ciel bleu. .

Rako avait de nombreuses questions auxquelles Yargos ne pouvait pas répondre, et l'une concernait la véritable identité de ses parents. Il doutait que Yargos soit son vrai père ou un dieu de la faille.

Rako voulait diriger les destinées de ces terres ancestrales. Pour cela, il devait être avocat dans le codex des dieux de la fissure qui contenait 100 000 ans d'histoires dans lesquelles l'esprit reptilien régnait sur l'univers primordial. Rako s'interrogea sur le déclenchement de cette énergie inconnue pour la bête qui créa la lumière, illuminant une partie de ce ciel appartenant aux dieux reptiliens.

Comme tous les soirs avant d'aller se coucher, Rako lisait un de ses livres préférés, écrit du poing de la bête qu'il avait ramené de la bibliothèque Mongui .

« La bête qui couvrait toute la création Il a ouvert ses ailes pour qu'aucune lumière ne se manifeste dans ce ciel. Elle est tombée dans l'abîme avec ses ailes percées et brûlées par les rayons du soleil antique. Il a été avalé par cette mer sombre qui était comme une soupe d'origine. Au bout d'un moment, il émergea avec un tel pouvoir qu'il défia les Suprêmes et leur création. Il a détruit toutes ces villes resplendissantes que les suprêmes accrochaient dans ce ciel et qui étaient dans le sein des ténèbres. »

Les troglos aimaient manger de la chair humaine, en particulier celle des jeunes filles. Les jeunes filles entrèrent sans crainte dans la cage déjà ouverte et la nettoyèrent soigneusement, protégées par Rako lui-même. Il a été choqué que cette bête ait mangé une bonne partie de ses jeunes filles dans le processus de formation. Ils avaient peur d'entrer dans ses appartements parce qu'ils croyaient que la bête s'y cachait, ou ils croyaient qu'il était cette bête.

Rako détestait cette nouvelle créature créée pour survivre dans ces terres et aider dans la lutte contre les rebelles. Quelque chose le reliait à ça. Les nuits où la bête se perdait dans ces étranges chasses à la nourriture, elle était blessée. Plusieurs fois, il a dû panser ses blessures et lui a reproché son comportement. Si la bête pouvait manger un autre type de nourriture, ce serait beaucoup mieux. La créature essayait de plaire à Rako.

Ce jour-là, quand le Troglo n'allait pas à la chasse, il laissa les cuisiniers préparer quelque chose que les bêtes des tours de Mongui lui donnaient . Ils avaient récemment chassé un tapir perdu et cette viande était très savoureuse et avait une origine légère. Lorsque le Troglo entra pour la première fois dans les appartements de Rako, il souriait.

Avec ce régime, le Troglo est devenu plus fort et plus indépendant au soulagement de Rako qui a souffert depuis que Yargos lui a confié son éducation lorsqu'il l'a envoyée de Mongi.

Rako a eu le temps de se concentrer sur la reconstruction d'Izmir où il gouvernerait la région de Cherrua et les races qui l'habitaient.

Il a commencé à planifier comment vaincre les poches de rébellion qui montaient dans les terres du sud avec les restes de l'ancienne armée suprême qui ne se soumettait pas à sa volonté comme la majorité.

Toutes ces préparations demandaient beaucoup d'énergie et il pouvait difficilement se consacrer à sa passion qu'étaient les codex des dieux de la crevasse. Dans ces écrits, il pouvait trouver les réponses sur son origine et celle de toute la création.

Rako a découvert plus tard que la fameuse bête guerrière qui avait terrifié tout le monde dans les terres de l'est où elle avait apparemment son nid. C'était le Troglo.

Chapitre 26
Le Hugaxa

Alors que tout était dans le chaos, Sagi a assisté au conseil secret caché au fond de la forêt, tout près de la montagne, où ils devaient prendre des décisions.

Ensuite, les samas, Kayla et le temple ont décidé de se sauver grâce à cette purge, car Rako se méfiait de tous ceux qui ne venaient pas de Mongui. Pour échapper au chaos et rester en sécurité pendant que les choses se calmaient, Sagi a décidé qu'il valait mieux retourner à la montagne pour se vider la tête et demander conseil au buma.

Il a été conclu que la seule créature capable de mener à bien cette mission dangereuse et de s'en sortir indemne était la race jaguar. Une race ancienne qui, dans le passé, a affronté le pouvoir des ténèbres en le dominant. Ils étaient les seuls à pouvoir voir dans le noir.

Le conseil des courses avait donné à Sagi une lettre ouverte pour mettre ce plan d'urgence en marche , au cas où Tuxe ne se présenterait pas, Rako poursuivrait les armées décimées de Tuxe à travers Cherrua. Les dirigeants du conseil sont venus avec les samas à la montagne pour être protégés par le buma.

Sagi et la marine buma étaient à l'intérieur de la grotte de Sewa en train de regarder les peintures murales dessinées sur les murs et les plafonds de la grotte. Ceux-ci ont été peints par les seigneurs du premier âge, alors que la lumière éternelle a conquis les ténèbres. Ils se sont consacrés à peindre les exploits de l'origine et de Kabala.

Sagi et le buma cherchaient des indices qui leur permettraient de détruire cette nouvelle bête qui protégeait ce faux suprême assis sur le trône des races.

Sagi a remarqué une créature qui était illuminée par une lumière étrange et tenait une épée étrange.

— Marine, regarde ça, dit Sagi au buma qui regardait de grandes inscriptions de glyphes sur un mur opposé.

« Vous l'avez trouvé », dit le buma en s'approchant de la silhouette que Sagi désignait.

— Qui est-ce ? Sagi a demandé intrigué.

— Un Hugaxa portant la marque des neuf races. C'est un guerrier hybride ressemblant à un humain. Le guerrier le plus puissant de la constellation après Kabala et Tuxe. Il n'était pas d'origine divine, mais il a obtenu ce pouvoir en battant une bête déluge sans l'aide des pouvoirs du ciel.

— Et où allons-nous trouver une créature comme celle-ci pour nous aider à combattre cette bête ? dit Sagi en regardant le buma.

— Les codex disent que lorsqu'une nouvelle bête indestructible apparaîtra pour l'épée du suprême, un guerrier égal apparaîtra sur la terre et qu'il sera issu de la race humaine. Une race interdite, rejetée par les Suprêmes comme coupable de la mort de Mukura. Cette race a été accueillie par les ténèbres et réformée par les dieux de la faille pour être des esclaves et des guerriers des ténèbres, dit le buma.

— Comment va-t-on retrouver ce Hugaxa ? demandé Sagi.

— Nous devrons être attentifs aux manifestations surnaturelles de cette créature.

— J'aimerais que vous, m'accompagniez à Cherrua pour commencer la recherche de cet être à partir de là sans négliger Tuxe. Je pense que vous avez plus d'expérience pour trouver le Hugaxa.

— Je ne peux pas quitter la montagne, a dit le buma, « et en plus, en raison de la purge du suzerain, d'autres réfugiés sont venus fuyant sa persécution. Ma présence ici est indispensable, d'ailleurs la bête me reconnaîtrait , les dieux de la faille veulent ma mort tant que j'aide Kabala à les vaincre dans la première ère.

— Je ne sais pas comment je vais être pour trouver un tel être, dit Sagi avec inquiétude.

— Suivez ton instinct, mais tu ne seras pas tout à fait seul, je t'enverrai quelqu'un de confiance qui pourra peut-être reconnaître cette créature et sa puissance lorsqu'elle se manifestera.

— J'attendrai cette aide, tandis que je dois quitter cette montagne chaude et bien-aimée pour affronter les armées que l'imposteur suprême arme et qui viennent de Mongi pour exterminer les races et écraser leurs villages.

— Les terres de Cherrua ont été créées pour habiter une race inférieure née sans immortalité. Maintenant, il sera détruit par cette obscurité et ses guerriers, dit le buma.

— Combien de temps avons-nous avant que tout ne disparaisse ? demandé Sagi.

— Les ténèbres ne pourront pas détruire cette terre comme les autres, puisqu'elle a été tissée d'une manière différente, mais si elles peuvent tuer le porteur de lumière et si sa lumière s'éteint, l'épopée s'éteindra.

— Alors il y a de l'espoir que l'épopée du jaguar survivra à l'assaut des ténèbres," dit Sagi et se leva avec enthousiasme.

— Oui, mais le tisserand doit donner sa vie et éteindre sa lumière, dit le buma, « son bâton sera détruit par Yargos. Tout se passera en 90 jours solaires avec leurs nuits, à la fin de cette date les calendriers de pierre se transformeront en poussière et le temps de l'épopée s'arrêtera. Si dans cette période de temps aucun porteur n'apparaît avec une nouvelle lumière qui illumine le soleil de Tulka alors tout sera poussière.

— Alors nous n'avons pas beaucoup de temps, dit Sagi.

— Lorsque la mort de la première humanité s'est produite, tout est redevenu sombre. Le soleil de Tulka déclina et les étoiles vieillirent rapidement. Des mondes se sont effondrés sur la tête des survivants, tuant des armées ennemies et amies. Un Hugaxa est arrivé en retard pour empêcher cette bête d'entrer dans le temple et d'emporter le feu de cette race humaine que les suprêmes lui avaient donné pour illuminer les ténèbres.

Sagi a dit au revoir au buma. Il avait plus ou moins une idée en tête à quoi ressemblerait le Hugaxa et ainsi il lui serait plus facile de le trouver parmi les races humaines.

Chapitre 27
Kayla et la race humaine

Le contact avec les samas a changé Kayla. Elle a voulu suivre ses enseignements sans oublier ceux appris avec ses professeurs en montagne. Elle est devenue une médiatrice entre les visions des samas et des bumas. Au fond , les Samas étaient plus enclins à voir les bumas.

Sagi et les autres samas repartirent vers les terres du sud où Alda régnait avec l'idée de retrouver les Hugaxa. Le buma lui avait donné quelques indices et il était sûr qu'il pourrait les trouver. Il espérait que le buma lui enverrait, ainsi qu'à Kayla, l'aide promise pour trouver le Hugaxa et le développer rapidement. Le temps était contre lui.

Kayla a décidé de rester sur la montagne pour discuter de quelques idées avec le buma et reprendre des forces. Son séjour dans les terres était épuisant et malgré le fait qu'avec les lectures des codex du suprême il avait acquis une certaine transcendance, il ne savait toujours pas comment les utiliser. Elle avait besoin d'entrer dans sa forêt intérieure et de voir combien son arbre poussait et combien de rayons de sagesse elle avait atteint. Aussi, il voulait parler à ses parents et leur demander des conseils.

Le lendemain matin, un peu plus reposée, Kayla est allée au lac voir ses amies les tricoteuses et a tricoté avec elles. Layla est là et elle a raconté son aventure dans les terres. Il vit Ika le condor et remarqua que leur relation s'était développée malgré le temps qui s'était écoulé sans se voir. Elle sentait que son pouvoir intérieur était à égalité avec cette créature et elle était sûre qu'Ika était heureuse pour elle.

Puis Kayla est allée voir le buma à midi et ils se sont assis à l'extérieur de la cabane sur le porche dans les fauteuils à bascule. Kayla lui a donné tous les détails de sa liaison avec les samas.

— Alors la nouvelle création des dieux n'est pas du tout une bête.

— Non, c'est une fusion de beaucoup de choses, je pense qu'elle a l'essence des anciens humains plus qu'autre chose.

— Et la recherche de Tuxe ? demanda le buma.

— Jusqu'ici nous n'avons pas réussi, nous avons suivi de nombreuses pistes, toutes fausses. Les samas soupçonnent que les dieux profitent de l'ambre qui a donné l'immortalité à Tuxe pour créer plus de guerriers, pour détruire l'armée que Duka est en train de créer pour les combattre.

— Et vous avez eu une vision du Hugaxa? demanda le buma.

— Très peu, je ne le vois pas parmi les neuf races. Il semble appartenir à une race différente ou qui n'est pas encore créée. Rako a fait prisonnières des créatures qui manifestent des pouvoirs soudains et les a envoyées dans la faille pour que les dieux les détruisent.

— Pour accéder à vos nouvelles transcendances vous devez purifier votre aura contaminée par la pensée des dieux de la caverne. Pour cela, vous devez vous isoler pendant au moins une semaine afin de pouvoir vous connecter avec votre jardin intérieur. Vous devez voir la santé de votre arbre de mémoire, dit le buma.

Cette nuit-là, Kayla a commencé sa retraite spirituelle, dans l'une des cabines que le buma avait pour les invités. Il devait compléter les transcendances.

Après avoir pris un bain dans le lac, par cette chaude nuit, un bain qui la réconforta, elle entra dans la cabane et alluma les flammes. Les pierres réchauffaient la pièce et elle s'installa confortablement et prit la position du lotus et se laissa aller jusqu'à ce qu'elle atteigne un stade d'illumination pour se connecter avec sa forêt intérieure.

Il était de retour dans son jardin intérieur que seules les créatures de la montagne pouvaient cultiver. Kayla a regardé son arbre qu'elle avait arrosé étant enfant avec des prières et de bonnes pensées comme ses parents le lui avaient appris.

Il craignait que son séjour dans les terres et le contact avec des créatures qui n'ont pas de forêt intérieure se soient flétris. Elle ne pouvait pas envoyer ses bonnes pensées pour l'arroser de peur que l'esprit des dieux de la faille ne la détecte .

L'arbre avait l'air en bonne santé et brillait un peu plus et ses fruits étaient plus jaunes et ses feuilles d'un vert profond. À travers son tronc, il pouvait voir l' ambre, une sauge bleutée qui parcourait tout l'arbre, puis il était temps de récolter sa première récolte. Je remarque qu'au lieu d'un arbre : il y en avait cinq de divers englobants et ils appartenaient aux transcendances qu'il a acquises dans les terres.

Kayla a trouvé beaucoup de feuillage et il vide, disparu Je remarque que son jardin intérieur communique avec d'autres jardins.

Kayla a commencé à choisir ces chemins et en a trouvé un qui l'a conduite au jardin intérieur de sa mère, qui était un jardin de longs et grands palmiers qui se balançaient dans le vent doux. Sa mère était près de son arbre spirituel de naissance et était sous la forme éthérée d'un tapir avec beaucoup d'autres que sa mère protégeait et parcourait joyeusement ces chemins.

Un autre chemin et une autre piste la conduisirent à son père. C'était une autre forêt dans laquelle son père était sous les traits d'un ours à lunettes. Son jardin était une forêt d'arbres géants de diverses variétés . Ses branches montaient vers le ciel et étaient reliées à la cime de leurs arbres par des étoiles lointaines dont elles se nourrissaient pour créer l'ambre qui coulait dans la sève de leurs troncs.

Il y avait plus de chemins et de chemins qui étaient sûrs de se connecter aux jardins spirituels d'Ika, et peut-être que l'un d'entre eux pourrait mener au jardin de macareux du buma.

Il a dit au revoir à ses parents avec des câlins et est retourné dans son jardin secret. Maintenant, elle comprenait le pouvoir des transcendances et comment celles-ci et l'ambre étaient importantes pour la santé de l'univers. Sans les récolteurs d'ambre , toute la création serait engloutie par l'abîme.

Il ne savait pas combien de temps il errait dans ces forêts spirituelles, peut-être la semaine où le buma lui avait dit d'être dans sa forêt intérieure.

Lorsqu'elle revint de sa méditation profonde, elle sembla être plus éclairée et vit l'ambre qu'elle avait récolté de son arbre spirituel déjà matérialisé. Cela ressemblait à un petit rocher qu'il pourrait envelopper dans sa main de couleur bleue. À l'intérieur, il pouvait voir la lumière éternelle, celle dont il avait besoin pour aider les Hugaxa à atteindre la transcendance si les samas le trouvaient.

— Tu as changé, lui dit le buma, quand Kayla est allée lui rendre visite le lendemain de son expérience. Je vois que vous avez réussi à récolter de l'ambre et que vous avez également un nouveau bâton de pèlerin.

— Mon père me l'a donné, il provient d'un caroubier et il a le pouvoir d'arrêter de nombreuses bêtes. J'ai pu me connecter avec mes parents et clarifier tous les doutes sur leur transmutation quand j'étais enfant. J'ai compris qu'ils ne m'abandonnaient pas à mon sort. Ils remplissaient un devoir quand ils ont atteint leur illumination précoce. Ils m'ont toujours guidé sur le bon chemin.

— Je pense que tu es prêt à retourner sur les terres pour aider les samas à faire leurs devoirs. J'ai promis à Sagi que je lui enverrais quelque chose avec le même rayon de pouvoir spirituel que le mien. En te voyant, je pense que tu as atteint ta propre lumière. Quelle est la lumière de ton cœur.

Layla la tricoteuse l'a appelée ce matin-là alors qu'elle s'apprêtait à partir et lui a donné un sac à dos.

— Je l'ai tissé hier soir pour vous, il est enlacé des mêmes fils avec lesquels nous tissons le manteau pour tenir le ciel des races au-dessus de leurs têtes. Tout ce que vous y jetez deviendra petit. Si vous pouvez lancer un treuil de montagne là-bas et qu'il ne pèsera rien et il vous l'a dit en exemple. J'ai mis un couvercle dessus pour que rien ne sorte, là tu peux mettre le Hugaxa quand tu le sauves, pour que ni la bête ni les dieux reptiliens ne le perçoivent.

— Pendant votre voyage et votre séjour dans cette grotte, vous ne boirez que l'eau du lac que les tisserands vous ont préparé et non pas d'une rivière ou d'un affluent, aussi transparent que cela puisse paraître , ils sont tous contaminés par la vision de la bête. Prenez simplement de petites gorgées de cette eau et donnez également à boire aux Hugaxa, alors seulement ils résisteront au pouvoir mental des dieux de la crevasse, dit Layla.

Kayla a embrassé Layla et lui a dit au revoir, mais pas avant d'avoir déplacé toutes les affaires dans son nouveau sac à dos et les récipients d'eau tirés du lac qu'elle devait boire constamment.

Il était temps de partir, avec le nouveau sac à dos que Layla lui avait si minutieusement tricoté. À l'intérieur de vos plantes médicinales et alimentaires préférées. Ses tomas et son bâton de pèlerin et d'autres choses qui pourraient être utiles pour aider le Hugaxa au cas où Sagi l'aurait trouvé.

Il transportait également certaines choses que le buma avait envoyées à Sagi, comme ils l'avaient convenu.

Kayla est partie ce matin-là avec un esprit renouvelé, en passant devant le logement, elle a dit au revoir à ses professeurs qui étaient à la porte et ils lui ont souri.

Maintenant, il pouvait voir les jardins intérieurs de ses maîtres et il voyait des oiseaux de toutes sortes se balancer sur les branches de leurs jardins intérieurs.

Ils pouvaient sûrement voir son jardin fleuri et dans leurs sourires francs, elle voyait tous les souhaits pour qu'elle puisse réussir cette mission d'aider les samas et le Tuxe suprême à équilibrer la santé de l'univers et des créatures qui habitaient leurs mondes.

Ika le condor l'enveloppa d'une lueur argentée pour lui souhaiter bonne chance et l' accompagna du haut de ce ciel bleu jusqu'à ce qu'elle quitte la montagne. Quand il a marché sur la terre, le condor et la montagne ont disparu.

Cette fois, elle ne ressentait pas de tristesse, elle se sentait forte et puissante. Il commença à avancer vers les villages libres du sud pour rencontrer son destin.

Chapitre 28
Kayla et Rako

Kayla descendit la partie cachée de la montagne que personne ne pouvait voir depuis la vallée et se dirigea vers le sud à la recherche des samas qui étaient rassemblés avec Duka.

Lorsqu'il les a rencontrés, il leur a transmis tout ce que le buma voulait et a donné à Sagi ces objets personnels du buma enveloppés dans cette dentelle délicate.

Il monta dans sa chambre au deuxième étage du temple, qui n'était plus utilisée par les samas comme taverne. Sa chambre était rangée, en son absence, pour son arrivée éventuelle et il pensait qu'Avi était responsable. Sur la commode près de son lit se trouvait une enveloppe scellée à l'en-tête du suzerain d'Izmir. Elle l'ouvrit étrangement et y vit une signature ancienne et impeccable qui était sans aucun doute l'écriture manuscrite du suprême d'Ismir. Il l' invite à visiter sa bibliothèque et à partager ses expériences sur les codex. A propos des dieux de la faille.

Sagi ne l'a pas laissée partir seule, elle soupçonnait que cela pouvait être un piège, alors elle a envoyé Avi avec elle, se faisant passer pour son scribe personnel pour la protéger au cas où Rako voudrait profiter de cette occasion pour la faire prisonnière. Rako ne connaissait toujours pas le pouvoir de Kayla ou peut-être que son obsession pour les codex lui avait fait oublier les attributs de la fille.

Kayla et Avi sont partis ce matin-là pour la capitale, sortant de la forêt où le temple était caché, vers la route principale. Une patrouille a bloqué leur chemin, Kayla a montré le col , et le capitaine de cette patrouille a assigné deux gardes pour les escorter jusqu'à la ville d'Izmir.

Rako a demandé à Yargos la permission d'afficher et de consulter les codex de la bibliothèque écrits par la bête et les dieux à un pèlerin de montagne versé dans les codex et ce siège.

— Un rapporteur de la montagne envoyé par les samas et non par le buma, pour affronter la vérité de nos codex, vous devez être amical et serviable comme des humains, puisque vous êtes un érudit sur le sujet, vous serez celui qui le recevra et confronte leur version du codex des bumas et des samas, dit Yargos, et peut-être découvrirons-nous ce qu'ils préparent.

Les gardes les ont laissés devant la porte principale. Un conseiller du palais les conduisit dans une pièce où Rako attendait un peu impatient de rencontrer Kayla.

Rako était assis sur un banc dans le couloir de cette pièce en train de regarder une peinture murale où une grande bête a été vue en train de détruire des mondes avec un faisceau d'énergie qui provenait de son bâton et il s'est levé et s'est dirigé vers les visiteurs.

Kayla a vu Rako sous la forme d'un ancien humain. Cette race a été condamnée à la première ère par les seigneurs qui les ont envoyés dans les ténèbres. Apparemment, ce sont les dieux bestiaux qui l'ont liée à la race reptilienne.

— C'est un plaisir pour moi d'être devant quelqu'un qui a tant de connaissances sur l'univers ancestral et sa création.

— Merci beaucoup, suprême, dit Kayla, « cela me touche beaucoup de clarifier les trois visions que les races ont de leur création et je veux vous donner une vraie vision, unifiant les trois visions: celle de la faille dieux, celui des suprêmes et celui des buma des montagnes et voyons ce que nous pouvons partager en commun.

Rako les emmena immédiatement à la bibliothèque qui se trouvait au deuxième étage du palais, dans une enceinte fortement gardée. Les portes de la bibliothèque étaient d'un matériau lourd. Rako n'a eu aucun problème à les ouvrir sans presque aucun effort. Kayla a vraiment compris de quoi il était fait.

— Mais dites-moi, demanda Rako, debout près de l'entrée, « comment êtes-vous arrivé à une telle maîtrise des codex? puisque rares sont ceux qui peuvent avoir la vision de pénétrer le temps et l'espace et de les comprendre parfaitement.

— Ça n'a pas été facile pour moi au début. Quand j'étais enfant, mes parents me lisaient de vieux livres de plusieurs générations de bumas récolteurs d'ambre. Sa vision de l'univers m'a intrigué et je suis devenu curieux. Je voulais être comme un buma pour comprendre la création. Être buma est une tâche difficile pour laquelle il n'avait pas assez de vision, mais il pouvait comprendre les glyphes et les différentes visions de la création.

— Vous comprendrez les précautions que j'ai prises pour protéger les informations contenues dans les codex de cette bibliothèque, qui ne doivent être vues que par des savants, car ce qui est contenu ici est très sacré pour nous et pour toutes les créatures qui sont nées à Monguí pour la volonté de nos dieux.

Rako envoya Kayla à sa suite et ordonna à Avi de rester dehors avec l'un de ses scribes. Il pourrait vous montrer certaines parties du palais et vous montrer des objets très anciens de l'époque de la bête. C'était contraire à Avi qui envoya à Kayla un regard mécontent. Elle a signalé à Avi un code qu'eux seuls ont compris et Avi a compris et a suivi le scribe.

La bibliothèque était immense et ne ressemblait pas à une bibliothèque, plutôt à une très vieille grotte.

En vue se trouvaient de grands tomes de livres écrits avec d'étranges glyphes et runes. Kayla ne regardait pas les vieux livres qu'elle avait vus dans la bibliothèque du temple. Il a vu d'autres livres apparemment écrits par les Grands, mais en regardant attentivement, il a vu qu'il s'agissait de copies modifiées.

— J'ai voulu recréer l'environnement à partir duquel les premiers dieux créateurs sont venus à la vie il y a cent mille ans, selon notre calendrier de pierre. Nous avons suivi la première marque du premier jour où tout a été créé par un dieu de l'abîme auto-créé. C'est la date du calendrier que nous suivons depuis.

Kayla regarda les peintures murales habilement peintes de cette création, que Rako avait apportées de tous les pays. Peut-être que ces peintures murales peintes avec passion pourraient vous en dire plus que ces livres que je contemplais. Lorsque Rako l'emmena dans une partie plus secrète qui était à l'abri des regards et dissimulée derrière une petite porte, elle put enfin voir les codex sur des étagères en pierre polie, puis sa déception disparut.

— Selon le Codex suprême, ils disent qu'ils ont créé l'univers primordial il y a un million d'années, sur la base de la façon dont ils mesurent le temps, qui n'était pas du temps linéaire, mais du temps courbe." Le premier à vaincre les ténèbres, selon eux, était l'origine appelée Kabbale qui a émergé d'un abîme avec la puissance de mille transcendances transformées en soleils et en ambre où il avait récolté cette lumière éternelle pour créer cet univers.

— Mais dans ces codex, il est dit autre chose, que c'est un dieu bestial qui a rassemblé l'énergie du Nuang qui a brillé avec une lumière d'obsidienne et l'a projetée contre les ténèbres, créant tout ce qui est visible et invisible, dit Rako.

— Mais s'ils étaient les créateurs parce qu'ils veulent le détruire, demandé Kayla.

— Parce qu'elle est contaminée par la lumière des Suprêmes et qu'ils veulent tout remettre dans les ténèbres pour recréer quelque chose de mieux sans l'intervention des Suprêmes.

— Mais on dit que les dieux de la faille et les suprêmes ont épuisé toute leur énergie créatrice dans les guerres célestes , essayant de s'entre-détruire. Donc, si cet univers est détruit, peut-être que les races ne pourront plus jamais voir la lumière, a déclaré Kayla.

— Dans les journaux de la première bête créée par les dieux reptiliens pour protéger la création du pouvoir destructeur des suprêmes , elle dit que les bumas étaient les seuls capables de créer un jardin à partir de rien, mais il n'y a pas de livres sur cela, dit Rako.

— Les bumas étaient des récolteurs d'ambre et habitaient le premier univers, ils étaient le cœur de ces arbres qui donnaient les graines aux suprêmes pour créer leurs univers. Ils ont demandé à ces bumas des graines pour la création du Mukura, dit-elle.

Rako a osé interroger Kayla sur la vision des samas.

— Ils n'ont pas de vision de la création, ce sont des restaurateurs et on pense que leurs ancêtres sont ceux qui ont semé les graines des arbres astraux. Ils habitent un non-temps en tant qu'esprits et ils n'aident les bumas qu'à équilibrer la création et n'ont aucune intention de prendre quoi que ce soit pour eux, ils sont neutres par rapport aux croyances des races, dit-elle

— Apparemment les codex qui peuvent rivaliser avec ceux des dieux sont ceux des buma de la montagne et non les codex des suprêmes, j'y vois des points communs, dit-Il.

Kayla à l'intérieur était confuse. Les anciens codex du temps éternel écrits par la bête et qui paraissent inchangés, donnaient les dieux bestiaux cachés dans la crevasse comme créateurs de l'univers ancestral.

Elle avait la version des bumas de la montagne, qui disent que ni les suprêmes ni les dieux ne possédaient la vérité de tout et qu'au début les suprêmes et les dieux provenaient de la même source d'énergie.

Rako a emmené Kayla, après avoir quitté cette grotte, dans sa bibliothèque personnelle, une petite enceinte près de ses chambres où il avait ses livres préférés.

— Je vais vous lire un fragment écrit de la griffe de la bête sur sa création. Bien sûr, ce sont des copies fidèles des originaux que j'ai montrés auparavant et pour des raisons de sécurité et de conservation, je ne peux pas les avoir ici.

— Personne ne les a traduits ? demande Kayla.

— Non, je les ai vérifiées personnellement et elles sont vraies. Ils sont tous écrits dans la langue cryptée du ciel et transformés en codex qui sont sacrés et que personne ne peut altérer, pas même la bête qui réussit à altérer ou à falsifier n'importe quel document de cette époque pour y apposer sa signature. Je fais partie de l'histoire parce que même les événements continuent de se dérouler et ne s'arrêteront pas tant que le cœur du ciel n'apparaîtra pas.

— Comment savez-vous que tout ce qui est écrit par les dieux et les bêtes est vrai ? demande Kayla.

— Des experts en falsification de codex et d'écrits anciens ont témoigné que les dates et les faits contrastent et sont vrais. Ils sont tous écrits dans la langue des premiers dieux et transformés en codex qui sont sacrés et ne peuvent être modifiés par personne, dit Rako et lu :

«Dans le premier codex, il est raconté comment la bête volant à travers ce vide infini déjà matérialisé par la puissance de cette énergie Nuang a commencé à créer dans cet abîme. La bête a créé l'univers, ses mondes et ses étoiles en un jour et s'est reposée pendant quelques années. Puis il retourna au lieu de sa création, une haute montagne où il avait pétri cette argile pour créer les mondes et les étoiles. Là, il a soufflé avec un sifflement doux et a jeté ces mondes parfaits dans ce ciel vide. Puis il a pensé que les mondes étaient nus et il les a peuplés de jungles et de forêts puis de rivières et de mers de grands poissons pour qu'ils nourrissent les dieux bestiaux.»

Cette version ne contrastait pas avec la version que Kayla a lue sur la création dans le codex samas, dans l'une de ses parties, il était écrit:

« Les bêtes n'ont ni subtilité ni sens pour la création. Il n'a qu'un seul don et c'est pour la destruction. La plupart des dieux bestiaux n'ont pas de bouche bien formée, certains ont des palais fendus, qui les empêchent d'émettre une bonne respiration. Seule la bête a une bouche bien formée, mais elle est si grande et terrifiante qu'à chaque fois qu'elle souffle de son intérieur, seul un jet de feu en sort qui détruit tout.

Après avoir dit au revoir à Rako, il lui a demandé de lui rendre visite à nouveau, car il pouvait apporter des livres et des codex plus anciens de Mongui.

Kayla est partie pour les terres du sud avec Avi et il ne lui a pas dit un mot pendant tout le trajet. Il était bouleversé , Kayla ne voulait rien lui dire de ce qu'elle avait vu et découvert dans la bibliothèque jusqu'à ce qu'ils soient dans le temple.

Il était heureux de voir sur les routes menant au refuge que les soldats de Duka avaient repris les pistes et maintenant cette région était libre.

La visite au suprême d'Ismir lui avait laissé de grands enseignements et les choses qu'il a vues lui ont donné une idée du Hugaxa.

Il a vu des peintures murales très cachées lorsqu'il a été fasciné par des livres que Kayla lui avait apportés en cadeau écrits par bumas. Ainsi, il put mieux comprendre ce qu'il cherchait en lisant dans les codex de la bibliothèque du suprême.

Sagi les attendait avec impatience et était reconnaissant de les voir sains et saufs. Cela avait pris plusieurs jours et il y avait de nouvelles nouvelles qui pourraient changer le cours des choses et il a préféré les laisser reposer jusqu'à l'autre jour.

Chapitre 29
Kayla prend une décision

Kayla et les samas étaient réunis dans la salle à manger au premier étage du temple à l'arrière, discutant de leurs impressions sur la recherche de Tuxe, du Hugaxa et des codex.

— Aucun de ces codex n'est favorable à la race. En comparant les trois versions sur la création de l'univers et des races : la version des suprêmes écrite par Kabala, celle des dieux écrite par la bête diluvienne, ou celle de la montagne, une compilation des bumas, j'en suis venu à la conclusion que le codex des montagnes, il a plus de résonance et une grande force pour passer plus de temps à travailler dans la vraie vie et dans la prise de décision des courses.

Kayla a raconté aux samas l'apparence de la bête et les dieux qu'elle a vus sur les peintures murales de la bibliothèque du seigneur d'Ismir.

— Quand je suis allé à la grotte de Sewa, cœur de la montagne, raconta Sagi, « ce que nous y avons vu les buma et moi peints sur les murs par les premiers suprêmes et les bumas, c'étaient des créatures avec plus d'apparences d'humains et moins de reptiles, ils n'avaient ni écailles, ni cornes, ni longues queues, ils n'étaient pas aussi menaçants que vous le dites des bêtes que vous avez vues dans les tableaux de la bibliothèque.

— Kabala, que tout le monde appelait l' origine, avait laissé sa marque sur une créature de la nouvelle race jaguar afin qu'il devienne le guerrier capable de vaincre la bête et de libérer les races des ténèbres, dit Joe.

— J'ai lu dans un des codex écrits par la bête, que la race que les dieux reptiliens ont créée était la race humaine. Qu'il s'agissait d'une imitation d'une classe d'humanoïdes que les Suprêmes avaient créés à leur propre image, puis rejetés dans les ténèbres. C'est à partir de cette graine rejetée que les dieux imitateurs de tout ont créé les races, dit-elle.

— Dans la grotte de la montagne, j'ai aussi vu le Hugaxa sur la fresque. Un super guerrier qui a tué une bête déluge et son apparence était celle d'un ancien humain, dit Sagi.

— Si c'est la race que nous recherchons pour le guerrier pour défier la nouvelle bête, peut-être que ce n'est pas ce que nous recherchons , si cette race humaine a des gènes des dieux ou des bêtes, elle peut nous trahir, dit- Avi.

— J'ai mal cherché le Hugaxa, il ne faut pas que ce soit une créature ni du ciel ni des ténèbres. Cela doit être trouvé dans les terres d'origine. Yargos ne doit pas non plus savoir qui il est, dit Sagi.

— Il existe de nombreuses théories sur la façon dont les races sont apparues dans les terres et comment elles ont été créées avec la même lumière éternelle et le pouvoir de l'énergie Vang qui lui a donné certaines capacités à résister au pouvoir des bêtes venant des profondeurs des ténèbres. Mais il y a beaucoup de détails sur cette version, dit Joe.

— En feuilletant un vieux livre de la bibliothèque de buma de la montagne qui n'était pas un codex, j'ai lu que l'humain qui pourrait devenir Hugaxa avait quelque chose de spécial, dit Kayla.

— Mais ces créatures n'ont aucun pouvoir, elles sont faibles et ne possèdent pas l'immortalité. C'est la course qui a été maudite par les dieux au premier âge, dit- Avi.

— Nous devons être absolument certains de la créature que nous allons aider à transformer en Hugaxa pour atteindre son pouvoir. De peur qu'il ne devienne une autre bête, dit Sagi.

— C'est pourquoi je pense que je devrais retourner à la montagne, non seulement pour clarifier avec le buma l'idée que l'humain est la race choisie pour détruire la bête, mais aussi pour l'avertir du danger que court la montagne. J'ai vu quelque chose d'horrible la déchirer, dit-elle.

— Mais nous avons besoin de toi ici, dit- Avi.

— Ce sera un voyage éclair, mais il faut aussi que je reprenne des forces car j'ai ressenti une étrange faiblesse en quittant le palais, comme si quelque chose essayait de gagner mon esprit. Maintenant, je comprends pourquoi le buma m'a dit que plus je restais longtemps sur la montagne, plus je pouvais gagner de transcendances afin que les dieux ne prennent pas le contrôle de mon esprit ou ne me prennent pour le Hugaxa.

La conversation sur la race humaine, et s'il était bon que l'un d'eux devienne l'être capable de détruire la nouvelle bête, cela dura jusqu'à ce que la nuit tombe sur cette pinède et sur le temple.

Fatigués de tant de rêveries, ils se retirèrent tous pour se reposer avec leurs idées, les faisant tournoyer follement dans leur tête.

Kayla est partie en silence à l'aube sans dire au revoir aux samas qui insisteront sûrement pour qu'Avi l'accompagne.

Elle devait y aller seule, il était important d'avertir le buma du danger qui guettait les montagnes et les races qu'il protégeait.

Sagi croyait qu'avec l'aide de Kayla, ils pourraient trouver un Hugaxa avec le pouvoir et la force de défier la bête, c'était la seule créature parmi toutes les races qui pouvait la tuer, et ensuite il pourrait remettre un suzerain sur le trône.

Les Samas étaient les seuls à pouvoir trouver cette créature, à découvrir sa marque et à la préparer pour la mission d'aller dans les ténèbres.

Chapitre 30
La première réunion

Duka, chef de la lignée humaine, a pu pacifier les terres du sud et fonder une nouvelle capitale provisoire appelée Tessa. C'était l'une des grandes populations du sud, elle était entourée de plusieurs villages, elle possédait des ruines ancestrales très bien conservées par les architectes et maîtres potiers venus de la montagne.

Ils ont remodelé et donné un aspect de palais à un vieux bâtiment. A ses côtés, ces maîtres bâtisseurs ont également construit d'autres bâtiments avec la même technique. Là, ils pouvaient loger des conseillers et de hauts commandants militaires. Le palais fut rapidement occupé par le suzerain, Alda.

Duka a eu un répit dans sa campagne et ses combats contre les armées Rako qui n'assiégeaient plus les villageois et étaient maintenant loin de la frontière sud. Il est allé dans une cabane entourée d'une forêt d'eucalyptus où il s'est senti en sécurité pour recueillir ses idées et réfléchir sur les événements de ces derniers temps.

Alda la suprême protégeait cette région et ses habitants avec le sceptre que Sagi lui avait donné et qui appartenait à l'assassin suprême d'Ismir et le don d'ambre du buma augmentait ce pouvoir suprême.

Les batailles qu'il a dû mener contre l'armée ennemie l'ont épuisé et ne lui ont pas permis de penser correctement et il aspirait à son ancienne vie et à sa famille.

Duka était le seul qui était resté pour affronter les armées de Mongui et la purge imposée par Rako, le suprême placé par Yargos pour régner sur les races au nom des dieux de la faille.

Les autres races ont fui, certaines vers la montagne, en particulier celles qui avaient cette marque divine quelque part sur leur corps. D'autres ont fui vers les forêts, en particulier les lignées de jaguar. La race humaine, bien que moins persécutée lorsqu'elle était capturée par les chasseurs et leurs bêtes, fut amenée à Mongi comme esclave pour nourrir une nouvelle bête qui protégeait le suprême assis sur le trône des races.

La nuit précédente, Duka ne pouvait pas dormir, non seulement en se souvenant de ces événements, mais quelque chose lui avait brisé le cœur. Il avait une très grande perte : son fils.

Duka avait une plaie ouverte qui lui transperçait la poitrine comme un poignard; son fils, qui était sa fierté et qui malgré sa jeunesse était devenu un bon guerrier et protégeait avec lui l'ancien suprême.

Depuis leur perte lors de leur fuite, poursuivis à la hâte par ces reptiliens au service du nouveau Rako suprême. Cette nuit-là, lorsqu'ils se sont enfuis vers les terres du sud, ils se sont divisés pour tromper l'ennemi et depuis lors, il n'y avait eu aucune nouvelle de leur sort. Il craignait le pire, il ne savait pas s'il avait été capturé et envoyé à Mongi pour être jugé par Yargos, ou s'il était mort, dévoré dans les forêts, victimes de cette bête que Rako envoyait contre ceux qui ne se soumettaient pas à ses lois et sa purge.

Il chercha partout son fils et chaque fois qu'il crut le voir venir par les nombreux chemins et chemins où il combattit l'ennemi.

Ce matin-là, il faisait froid et la forêt était couverte de brume et Duka regarda le mouvement de la brume à travers la fenêtre en buvant une tisane chaude pendant que ses pensées erraient.

Il entendit le galop d'un cheval qui remontait le chemin qui menait à sa cabane, et il devint alerte. Duka se dirigea vers son épée qu'il avait toujours près de lui, mais lorsqu'il vit les couleurs d'un des soldats de son armée il se calma.

Le soldat, sans descendre de cheval, atteignit la porte où Duka attendait déjà.

— Monsieur, je viens du suprême Alda, votre présence est requise dans son palais.

— Dites-lui que je serai là très bientôt.

La cavalière disparut dans la brume, laissant Duka perdue dans ses souvenirs.

L'apparence de Duka était celle d'un humain aux traits raffinés. Pas comme les traits des humanoïdes qui avaient autrefois été ses ancêtres : grands pour un homme moyen de ces régions du sud. Duka avait développé tout au long de sa préparation de guerrier et de soldat, un corps soigné, avec des muscles bien dessinés, bien que peu exagérés. La race humaine, dont il est issu, était la race la plus souffrante de toutes et ses ancêtres n'ont jamais vu la lumière de Tulka car ils ont dû vivre dans des cavernes profondes entourées de ténèbres. Les bêtes les chassaient pour se nourrir avec eux, c'est pourquoi Duka détestait ces reptiles.

Duka portait un pantalon en tissu solide et déchiré aux genoux, usé par l'usage et le frottement contre les branches des arbres et sa chemise à carreaux, son chapeau d'ermite. Avec ces vêtements, il ressemblait plus à un paysan grossier qu'au protecteur militaire expérimenté des suprêmes des neuf terres.

Il ne pouvait pas visiter le suprême dans l'apparence qu'il était. Il décida de revêtir son plus bel uniforme pour se rendre au palais.

Il arriva à midi et le même soldat qui lui apporta le message reçut sa monture et l'emmena à l'écurie du palais.

Duka franchit deux à deux les marches qui le séparaient de la porte en frêne, savamment sculptée par les artisans. Il se précipita dans la salle de réunion où Alda s'entretint avec ses conseillers qui, en voyant Duka, le saluèrent en s'inclinant et quittèrent la pièce pour les laisser seuls.

— Je suis venu, dès que j'ai pu, quelles nouvelles nous avons.

— Asseyez-vous et je vous tiendrai au courant des derniers développements.

— En raison de notre succès ici dans le sud, Yargos a décidé de mobiliser ses troupes aux frontières avec Izmir et a envoyé un contingent de soldats reptiliens de fer comme avant-garde.

— Son intention est de protéger la capitale. Il pense que Rako a négligé sa protection et a accordé plus d'importance à d'autres questions. Vous savez ce qui se passerait si cet avant-poste arrivait le premier : nos plans pour prendre la ville, déjà affaiblis par des frictions constantes avec nous, seront plus difficiles, dit-Alda.

— Que proposez-vous ? Demandé Duka.

— Je veux que tu y ailles et que tu les interceptes avant d'entrer dans la ville. Il y a une gorge avant d'entrer dans la vallée d'Izmir, à travers laquelle ils doivent passer. Là, ils peuvent être pris en embuscade par vos hommes. J'ai envoyé une centaine de mes meilleurs archers et je les ai postés au-dessus de cette gorge de montagne. Vous devez pousser l' armée ennemie pour qu'elle passe par là et que les archers leur tirent dessus. J'ai pris l'audace de choisir les meilleurs de vos hommes pour cette mission. Nous ne pouvons pas mobiliser une grande armée car cela attirerait l'attention. Ils doivent passer par les raccourcis pour prendre l'ennemi par surprise.

Duka est parti cette même nuit au commandement de ses hommes, enveloppé de ténèbres. Il portait de l'ambre dans son sac à dos, la lumière qui guiderait sa petite armée dans cette bataille inégale avec l'armée de Monguí. À un moment donné, il s'attendait à ce que les samas les rejoignent.

Ils passèrent rapidement par ces raccourcis qu'eux seuls connaissaient et se frayèrent un chemin vers la grande vallée d'Izmir. Au sud, le terrain était plus montagneux qu'au nord. L'emplacement de la capitale était plus plat. Avec peu d'endroits où se cacher, Duka a envoyé des éclaireurs en avant et est revenu avec des nouvelles du passage de l'armée ennemie.

— Monsieur, dit l'éclaireur, « nous sommes à une journée de marche de l'ennemi, ils sont devant nous et ils semblent pouvoir traverser les marécages pour éviter de franchir la passe du diable, il faut se dépêcher ou trouver un autre raccourci qui amènera nous rapproche d'eux.

Ils trouvèrent un autre raccourci et lorsqu'ils en sortirent, ils se retrouvèrent à découvert dans une petite vallée et se précipitèrent à travers ces champs de maïs en espérant que les villageois étonnés ne les trahiraient pas. Cela les a rapprochés de l'ennemi.

Duka surveillait l'armée depuis cette petite colline. C'était plus grand que je ne l'imaginais. Au moins un millier de reptiliens et environ quatre bêtes, plus une meute, ces mastiffs remplis de reptiles - Les bêtes étaient attachées aux charrettes avec des chaînes. Une vingtaine d'autres guerriers, apparemment humanoïdes, entouraient ce qui semblait être le chef de cette armée. Archers, au moins une centaine à l'arrière et environ deux cents lanciers à l'avance.

— Monsieur, dit l'éclaireur, nous sommes à peine cent soldats et ils sont au moins quinze cents, nous n'avons pas beaucoup de chance .

— Nous les attaquerons à l'aube et les forcerons à nous poursuivre jusqu'à la gorge, nous nous diviserons en quatre groupes de vingt-cinq hommes chacun. Lorsque nous attaquons par surprise, nous éviterons d'être à proximité des lanciers et fuirons immédiatement vers la gorge afin qu'ils puissent nous chasser.

L'armée a été arrêtée quand ils ont attaqué à l'aube. Ils n'avaient pas campé comme s'ils s'attendaient à l'attaque, mais ont réussi à les confondre lorsqu'ils ont attaqué des quatre côtés. Puis ils ont fui, mais ils n'ont pas été poursuivis par les soldats, le chef s'est limité à envoyer une bête et ils ont dû se cacher dans la gorge jusqu'à la bête.

Heureusement , les samas qui se cachaient dans la gorge coupèrent l'avancée de la bête. Sagi se leva en levant son bâton qui contenait cette énergie et la bête s'arrêta sous le choc lorsqu'elle vit le sama. Avi et Joe ont profité de la confusion et ont matraqué la bête à mort . Les trois autres bêtes ont subi le même sort lorsqu'elles ont été envoyées par ce chef.

Le chef ennemi changea de stratégie et s'avança vers eux en direction de la Gorge du Diable.

— Je ne pense pas qu'ils soient si bêtes que toute l'armée tombe dans le piège, dit Sagi à Duka, « nous devons nous forcer et pour cela nous devons ouvrir une brèche derrière leur dos afin qu'ils ne puissent pas se tordre.

— J'entrerai dans la gorge avec mes hommes et j'essaierai de les faire suivre pour que les archers postés au-dessus commencent à tirer, dit Duka.

Sagi a fait le tour pour se tenir derrière l'armée ennemie qui avait abandonné sa position dans les marais et espérait piéger les hommes à l'intérieur de la gorge.

La terre y était lâche et rouge, et Sagi trouva facile de lever son bâton rempli de l'énergie Vang qu'elle avait recueillie sur l'autel du temple. Il heurta le sol provoquant une telle explosion qu'il fut projeté à plusieurs mètres et fit de même avec quelques soldats de l'arrière ennemi. Désormais, ils ne pouvaient plus faire demi-tour, l'écart était large et difficile à franchir.

L'armée ennemie n'avait d'autre choix que de traverser la gorge et ils l'ont fait avec précautions et lorsque toute l'armée était à l'intérieur, Sagi a également fermé cette entrée.

L'avant-garde à l'intérieur de la gorge de deux kilomètres de long s'est précipitée à travers ce long couloir où ils étaient piégés, mais lorsqu'ils ont atteint la sortie, les hommes de Duka stationnés là ont tiré avec leurs arcs, empêchant leur sortie.

Sagi les avait déjà rencontrés dans la gorge.

— Nous ne pourrons pas liquider toute l'armée et mes hommes ne tiennent plus à l'embouchure de la sortie, a déclaré Duka.

— Je propose qu'on défonce un mur de la gorge pour qu'il lui tombe sur la tête, j'ai encore du pouvoir dans mon bâton.

Sagi a levé son bâton contre l'un des murs de la gorge et a libéré le faisceau de couleur violette qui a tiré sur le haut mur qui est tombé sur la tête de l'ennemi.

L'effondrement a provoqué une réaction en chaîne et tout l'autre mur sur lequel ils se trouvaient a cédé et ils sont tous tombés dans la gorge.

Ils ont dû être sauvés par les hommes de Duka des décombres.

Sagi et Duka ont été battus, avec plusieurs ecchymoses sur le corps, ils mettront du temps à se remettre. L'équilibre fut également durable, presque tous les archers envoyés par le Suprême gisaient enterrés avec l'armée ennemie qui périt dans l'effondrement et l'armée de Duka ne survécut qu'à une vingtaine de ses hommes.

Ils ont dû se dépêcher de sortir de là, Rako en entendant le rugissement qui résonnait dans toute la vallée, a envoyé des troupes pour savoir ce qui se passait.

Chapitre 31
Shankia et le temple

Chaque fois que les samas partaient en excursion ou se rendaient à l'appel à l'aide d'une victime suite à l'assaut d'une bête sauvage ou à l'attaque de guerriers sporadiques, ils quittaient le temple caché au milieu de la forêt.

Cette fois ne faisait pas exception, les samas étaient partis quelques jours pour aider Duka.

Étant donné que les samas se sont retrouvés à dormir devant la porte du temple avec leurs vêtements déchirés. Apparemment, il a été chassé par une horde de chiens sauvages de l' obscurité, selon Avi. Selon Joe, il a été sauvé lorsqu'il a trouvé le temple que personne ne peut voir sans la faveur du ciel.

Le jeune homme semblait issu d'une bonne famille et bien qu'il portait ses vêtements de paysants, ils semblaient bien. Il portait toujours son sac à dos et apparemment les assaillants —n'avaient pas l'intention de le voler, mais de le tuer. Sagi se pencha pour le regarder et voir cette marque étrange sur sa poitrine couvrant son cœur.

— Emmenez-le à l'intérieur, dit Sagi.

— Et si c'est un espion ou pire, la même bête déguisée, dit Joe

— Je ne pense pas, cet être a la faveur du ciel, je peux voir notre temple et il s'y est réfugié, c'est pourquoi il a été sauvé, dit- Avi en aidant Joe à le soulever.

— Le coup à la tête n'est pas récent, il semble qu'un morceau de ce ciel que les dieux ont laissé tomber sur la tête des races soit tombé dessus, dit Joe.

— Si Kayla était là, peut-être qu'ils pourraient nous aider à décider, car la bête que nous avons vue assise sur ce trône de pierre est horrible à l'intérieur, bien qu'elle semble inoffensive à l'extérieur, elle est capable de prendre n'importe quelle physionomie, dit-Avi.

Shankia, qui se souvenait clairement de son nom et apparemment c'était la seule chose dont elle se souvenait, a mis plusieurs jours à se rétablir sous la garde des samas, mais sa mémoire était encore floue. Les samas le laissèrent sur l'autel. Apparemment , le feu sur l'autel n'a pas été dérangé par sa présence. Ce qui a amené Sagi à soupçonner que cela pourrait être celui qu'il recherchait tant pour devenir Hugaxa .

Les jours passaient de façon monotone et les samas s'habituaient à la présence de ce gentil garçon.

Mais tout a changé lorsque Kayla, qui avait été absente du temple pendant plusieurs jours pour visiter les sanctuaires des ancêtres et ses proches sur la montagne, est revenue.

Shankia, bien qu'il ait entendu son nom quelques fois quand les samas le prononçaient et cela les faisait rire quand ils l'évoquaient, mais il s'en fichait. Lorsqu'il la vit entrer dans le temple et traverser les couloirs qui encadraient la grande cour de fête qui était maintenant utilisée par Sagi pour l'entraînement.

Lorsque Kayla est entrée, l'atmosphère a changé, même sa garde-robe était enchanteresse : un mélange de divers styles et tendances montagnards : une large ceinture en coton à motifs et le chapeau traditionnel Buma. Du style villageois, il a pris une tunique courte tombant jusqu'aux genoux et le pantalon bouffant que les samas portaient parfois pour sortir dans les champs. Un sac à dos avec des photos de plantes et d'animaux de montagne assortis à sa peau brune.

Elle est venue chanter, saluer et serrer dans ses bras tous les samas et quelques villageois qui tissaient et lisaient dans les couloirs et a vu comment Sagi et Shankia s'entraînaient avec les bâtons.

Les samas dont Sagi quittèrent leurs fonctions pour la saluer et chacun attendit son tour en chantant en chœur une chanson qui était sans aucun doute un hymne du temple.

Même Kayla l'a salué sans le connaître. Elle était comme un oiseau qui voletait partout sans s'arrêter.

Lorsque Shankia a vu Kayla s'arrêter, c'était pour ouvrir un grand sac à dos qu'elle portait pour sortir divers fruits et baies sauvages qu'elle avait ramassés en cours de route et a commencé à les distribuer parmi les samas qui ont crié de joie et sont allés dans un coin pour savourez des bonbons si spéciaux. Même lui a eu un de ces panneaux d'affichage, une fraise rose que Kayla lui a lancée avec un clin d'œil de l'un de ses beaux yeux caramel.

Une légère pensée traversa la tête de Shankia sur le ridicule qu'il devait avoir dans cette tenue de faux guerrier, mais ce ne fut que pendant une fraction de seconde et il fut à nouveau captivé par les charmes de cet oiseau sauvage au cœur d'oiseau.

Après l' accueil, Kayla a dû entrer dans l'enceinte principale de l'autel du temple pour une prière de bienvenue et a dû changer de vêtements en raison de problèmes de contamination et de pandémies qui parcouraient la vallée éternelle comme s'appelait cette grande plaine de Cherrua.

Shankia est apparue après l'entraînement dans la lumineuse salle à manger où devait être servi le dîner préparé par les villageois en l'honneur de Kayla .

Shankia a été menée par le bras par Sagi qui l'a présenté à Kayla et lorsqu'elle s'est approchée pour lui prendre la main il l'a offerte précipitamment. Elle retourna la pression d'une main ferme et sans vergogne et loua sa robe de forêt féline alors que Sagi appelait sa combinaison d'entraînement et son grand chapeau de paille tissé par les samas.

— C'est très flatteur de t'avoir avec nous, lui dit Kayla de sa voix chantante.

Quelque chose d'étrange s'est produit lorsque Shankia et Kayla se sont serré la main. Un courant d'énergie très subtil les envahit et ils durent tous les deux faire un effort pour ne pas laisser cette énergie les ébranler. Shankia avait l'impression que sa santé mentale était revenue et Kayla avait l'impression qu'une nouvelle transcendance s'ajoutait aux autres qu'elle avait atteintes avec le buma.

Kayla n'avait aucun intérêt pour les choses terrestres et passionnées, elle ne s'intéressait qu'aux codex. Shankia se concentrait uniquement sur sa formation et sur ce que Sagi appelait être un Hugaxa. À partir de ce moment, ils ont senti que leurs destins étaient liés à quelque chose et ils n'ont pas retardé cet appel intérieur soudain qu'ils ne savaient pas ce que c'était, ils sont devenus inséparables et ont essayé d'en savoir plus l'un sur l'autre.

Les bumas des montagnes, connaisseurs des sentiments et des émotions des races qui peuplent le monde ancestral, disent que le centre de l'affection et de l'amour se trouvait dans l'esprit et la contemplation de la nature.

Les samas disaient que l'amour était dans la pensée. L'humain au cœur. Mais quand Shankia a vu Kayla pour la première fois, il lui a semblé que le centre de l'amour était dans les côtes et non dans la conscience. Car ce qui a bougé, ce sont ses côtes et une partie de son ventre quand il a vu Kayla. Ainsi, le centre de l'amour était dans l' estomac, selon les jaguars.

Ils disent que les grandes bêtes qui régnaient sur l'univers dans les premières ères avaient le centre de l'amour dans leurs grandes queues, comme le racontent les codex compilés par les bumas des montagnes, qui se sont concentrés sur l'étude de cette espèce quelque peu violente dans son comportement.

— Ce qui fait le plus mal, c'est quand ton cœur se brise, ce n'est pas la même chose que de se casser la queue ou les côtes ou de se tordre les tripes. Quand ils brisent le cœur, ils brisent tout, disait un des plus sages en choses d'amour dans les montagnes.»

Presque tout le monde, d'une manière ou d'une autre, a eu des déboires en matière d'amour. Près de la moitié de la population des vallées a souffert de chagrin et il y a beaucoup de cœurs brisés solitaires et de côtes fracturées. Mais l'amour entre un oiseau et un chat, ou un jaguar, est plus grand. Beaucoup sont partis en guerre à cause de ce mal. D'autres ont conduit au suicide. Le village des noix de coco a subi presque toutes les pandémies d'amour, une maladie répandue et répandue.

Mais dans le cas de Kayla et Shankia, c'était d'abord un amour instinctif et pratique. Puis cela s'est transformé en un amour compréhensif et compatissant jusqu'à ce qu'il devienne un amour passionné et torrentiel à turbulent, ce que les buma appellent les âges de l'amour et enfin d'être deux en un.

Tout au long de leur relation et des séparations longues et courtes que Kayla et Shankia ont subies : à travers lesquelles elle a traversé toutes les étapes et tous les âges de l'amour jusqu'à ce qu'elle atteigne une telle maturité et un tel couplage. Ils ont atteint le bonheur le plus complet et le plus simple sans merde.

Le mot Hugaxa est étrange pour Shankia et Sagi lui a révélé peu de choses, seule Kayla, qui a essayé de l'aider à trouver et à comprendre un don qu'ils disaient avoir, l'a aidé un peu.

Ce sont ces plantes et cette eau que Kayla lui a données pour clarifier ses pensées que Shankia s'est souvenue de ce qui s'était passé et est allée avec elle rendre visite à Duka qui coordonne une nouvelle armée en cachette pour affronter l'usurpateur du trône.

Quelques jours passèrent et la mémoire de Shankia s'améliora, les odeurs de cet endroit avaient réveillé quelque chose de très profond et quand vint le moment d'affronter Duka il n'y avait plus aucun doute quand les deux se regardèrent dans les yeux pleins de larmes, ils se serrèrent dans les bras sans rien dire , l'étreinte fut longue et Duka n'arrêta pas de sangloter sur l'épaule costaude de son fils, la mouillant de ses larmes.

Duka pense que jamais revendrait voir a su fils, mais quand Sagi le rencontre sur Shankia, lui savait que c'était lui.

La rencontre du père et du fils a eu lieu dans la cabane de Duka. Où Izmir préparait un raid.

Sagi et Kayla qui sont allés accompagner Shankia et leur ont donné un espace pour cette réunion.

— Duka ne m'a jamais parlé de son fils, a déclaré Sagi à Kayla dans la cabine et de là, ils ont regardé le père et le fils s'embrasser et rattraper tous les événements qu'ils avaient vécus séparément.

— Croyez-vous toujours qu'il est le Hugaxa ? Kayla a demandé.

—— Maintenant, je suis plus sûr.

À jour Ensuite, Sagi a eu une conversation avec Duka sur l'avenir de Shankia pendant que lui et Kayla Ils se sont promenés.

— L'avenir de toutes les races de l'épopée dépend de la recherche d'un guerrier capable qui peut devenir un Hugaxa et doit être de la lignée terrestre", a commenté Sagi à Duka. Depuis des temps immémoriaux, les jaguars ont servi le suprême et protégé leur feu et leurs villes, mais ils ont été maudits et jetés dans les ténèbres comme une autre des races condamnées à disparaître dans les ténèbres. Depuis lors, Kabala a prédit que ce serait un humain qui pourrait vaincre la bête.

— La race humaine n'a aucun pouvoir pour un tel exploit, dit Duka.

— Le buma a choisi votre fils pour affronter la voie du jaguar et devenir le Hugaxa, il croit qu'il est l'héritier de la marque des jaguars célestes et que l'ordre pourrait renaître ici sur ces terres. Un jaguar sans peur des ténèbres et qui peut défier la puissance des guerriers des ténèbres, est le seul qui peut nous aider à arrêter ces guerres absurdes qui saignent les terres.

— J'ai retrouvé mon fils, après l'avoir cru mort, et maintenant vous dites qu'il a été choisi pour une mission qui me l'éloignerait de nouveau. Je pense que mon fils n'est pas prêt pour un tel honneur.

— Parce que nous ne laissons pas Shankia décider de son avenir, s'il ne veut pas de cette mission, nous ne pouvons pas le forcer, dit Sagi.

— Je ne sais pas si ce serait la bonne chose à faire, et s'il est en mesure de continuer, après ce qui lui est arrivé.

— Je serais votre guide, car je connais des réponses et je vous emmènerais sur le bon chemin et si tout se passe bien, le buma de la montagne vous attend pour vous transformer en Hugaxa. Le temps Donné par la bête pour détruire les races et leurs cités, le buma assure qu'il est bien celui-là, dit Sagi.

— Je suis désolée de vous interrompre, dit Shankia en entrant dans la pièce, « je n'ai pas pu m'empêcher de vous entendre et je vous assure père que je suis très heureuse et désireuse de devenir la Hugaxa, Kayla m'a mis au courant avec tous les détails et je suis honoré d'accepter.

Kayla, qui était entrée derrière Shankia en l'entendant parler avec tant de véhémence, lui fit un câlin.

Duka, voyant l'enthousiasme de son fils, accepta la demande du sama.

Chapitre 32
Le chemin du jaguar

Kayla et Shankia se dirigent vers Mongi, traversant d'anciennes routes et évitant les artères principales où les reptiliens montaient la garde et évitant le grand pont de pierre gardé par des bêtes et des Troglos.

Kayla et Shankia couraient vers les basses terres, où il était interdit d'aller. Il ne détourna pas les yeux pour voir une dernière fois cette belle ville de pierre polie et parfaite. Son regard continua jusqu'au fond de la grande vallée, où le paysage devint moins vert et un peu aride et les plaines s'étendirent sans fin. Ils étaient en route pour cette aventure et il ne savait pas jusqu'où cela irait, mais ils avaient confiance en le sama.

— Le chemin du jaguar, était plein de pièges et de créatures qui se cachent dans les ruines des anciennes villes solaires détruites par ce cataclysme, attendant de te sauter au cou, tu dois avoir tous tes sens attentifs, dit le sama à Kayla quand ils avaient quitté pour les confins de Mongui.

Kayla était la seule à pouvoir traverser ces terres plongées dans les ténèbres grâce à sa vision. Shankia a dû atteindre l'illumination en atteignant Malva pour recevoir les pouvoirs des Suprêmes d'anciens esprits ancestraux.

Un Hugaxa capable de guider les races vers la bataille finale contre les bêtes de Monguí et d'ouvrir le chemin qui menait au ciel fermé par les dieux.

Shankia cherchait les traces de cet ancien chemin couvert de broussailles, mais il était difficile à trouver.

Le long du chemin du jaguar, un chemin caché dans les ténèbres qui a commencé à Mongui et que Yargos le Suprême s'est efforcé de détruire afin que les samas et leurs assistants ne trouvent pas l'indice où ils trouveraient sûrement des indications sur l'endroit où pourrait se trouver Tuxe.

Pour Kayla, créature d'un autre temps et éclairée d' une autre lumière, le chemin n'est pas aussi téméraire que pour Shankia. Il a dû surmonter un certain nombre d'obstacles et de tests pour atteindre son potentiel. Lui et Kayla ne savaient pas ce que ce chemin leur réservait. Ils devaient traverser tout Mongi patrouillé par le ciel et la terre par les oiseaux Duxas pour rechercher les cités perdues et une célèbre cité solaire fondée par Kabala à la première ère et détruite par Yargos pour construire Mongi.

Ils traversèrent le fleuve de la mort pour éviter la masse noire, une tour qui s'élevait pour toucher les nuages de ce ciel gris où des oiseaux d'un âge primitif patrouillaient dans ce ciel.

Yargos avait appris qu'un être capable de combattre son Troglo cherchait l'ancien chemin où les Suprêmes cachaient d'anciens pouvoirs et ces créatures tentaient de traverser leurs terres sans être vues.

Yargos a chargé Urulu de la tâche d'éliminer ceux qui osaient défier ses pouvoirs qu'il ne pouvait pas atteindre avec sa pensée reptilienne afin qu'ils se rendent à lui et Urulu doit les atteindre avant qu'ils n'atteignent les ruines des villes du soleil.

Urulu, chasseur de toutes sortes de bêtes et de créatures, partit avec quatre dogues montés sur un reptile des marais à la poursuite des fugitifs.

Kayla et Shankia ont traversé les sombres terres désolées, poursuivies par Urulu et ses chiens. Ils traversèrent une forêt très ancienne avec des arbres millénaires et calcinés. Les arbres étaient encore debout pour une raison étrange.

Le premier Mastiff envoyé par Urulu les rattrapa dans cette vieille forêt. Ils se cachaient dans des buissons qui faisaient du feu avec leurs bonnets de laine qui les protégeaient de la pensée de Yargos.

Ils ont réussi à tromper ce premier chien, mais pas de beaucoup , il a retrouvé sa trace. Cela a conduit Kayla à appâter Shankia et quand il a bondi pour percer la gorge du garçon avec ses crocs : Kayla l' a embroché avec sa tige, lui brisant le cœur.

Après la frayeur, Shankia marchait plus lentement, il lui était difficile de bien voir dans cette semi-obscurité , ici dans ces terres couvertes de ténèbres il ne faisait ni jour ni nuit, tout était toujours gris. Kayla lui a fabriqué des lunettes avec une monture en bois et a placé deux tumas brillants qu'elle récupérait en cours de route et mettait dans son sac à dos où elle transportait toutes sortes d' outils d'artisanat.

Shankia a pu avoir une certaine vision, ce qui lui a permis d'accélérer son rythme. Ils sont entrés dans des prairies si hautes qu'elles étaient couvertes et là ils ont été frappés par un autre des dogues, apparemment le chasseur jouait avec eux, ou a osé les attaquer de front.

Pour se débarrasser du deuxième dogue, ils ont sauté dans un marais et quand ils ont pensé qu'ils étaient en sécurité, le dogue a sauté aussi. Heureusement , une sorte de reptile qui vivait dans ces marécages s'est jeté sur le chien et l'a dévoré d'une seule bouchée.

Ils firent halte dans une sorte de fausse plaine avec de grosses racines qui gênaient le passage. Ils s'assirent sur l'une de ces racines qui dépassaient du sol et Kayla sortit de son sac à dos deux poporos avec de l'eau et des galettes de maïs que les maîtres de montagne lui avaient préparés et les partagea avec Shankia qui mourait de soif et de faim.

Ce repas frugal dura, un autre dogue arriva en courant, sautant avec difficulté essayant d'éviter les racines et les épines et les regardant avec avidité.

Ils se sont levés et ont commencé à sauter à travers ce champ plein de racines et de grosses épines.

Kayla a eu une idée et alors qu'elle envoyait Shankia dans une autre direction pour que le dogue le poursuive, elle a tendu un piège, a trouvé un trou profond de racines et d'épines sortant du fond comme des lances acérées, a couvert ce trou avec des branches et l'a couvert. il a recouvert de racines et de feuilles sèches et quand il était prêt, il a appelé le dogue qui a aboyé à Shankia qui avait réussi à grimper sur une grosse racine et était infatigable

Le dogue, sans sentir le piège, a couru après Kayla, qui l'attendait et quand il était proche, il a sauté par-dessus le piège et a couru, le dogue a sauté et est tombé directement dans le piège et s'est enfoncé dans le trou. Il a été transpercé par les épines qui ont mis fin à sa vie.

— Nous sommes près des ruines des cités antiques, le pouvoir de Yargos s'y affaiblit , alors tu peux utiliser ton épée trempée par les samas, tu es le seul qui peut affronter le Chasseur, je prendrai prends soin de lui." restant dogue.

Chapitre 33
Villes solaires

Ils entrèrent dans les ruines d'une ville antique. Des milliers de pierres de toutes tailles étaient éparpillées sur ce plateau. C'étaient de vieilles pierres , bien taillées et polies, il y avait des pierres aussi larges et aussi hautes que des immeubles.

— Cela ressemble à un puzzle que seul un sama peut assembler et restaurer, a déclaré Shankia.

— Nous devons trouver la base d'une ancienne pyramide verdâtre selon les indications de Sagi, là nous trouverons une entrée souterraine où commence le chemin que nous cherchons, dit-elle.

Le dogue les rattrapa alors qu'ils traversaient un chemin de pierres irrégulières et à nouveau Shankia devint visible pour ce dogue qui avait l'ordre de tuer Shankia en premier afin qu'il n'atteigne pas l'ancien pouvoir suprême.

Alors qu'il allait bondir sur Shankia fatiguée qui s'appuyait sur une masse de pierre pour se reposer, Kayla apparut d'en haut qui recourut au pouvoir de sa transcendance pour pousser avec son bâton cet énorme rocher qui écrasa le dogue. Shankia eut à peine le temps de sauter pour éviter d'être écrasée.

Ils trouvèrent la base de la pyramide , c'était tout ce qui restait de ce qui était un temple pyramidal érigé en l'honneur de quelque divinité ancestrale.

Ils descendirent un tunnel souterrain qui menait de l'autre côté. Lorsqu'ils sortirent enfin, ils furent baignés d'une autre lumière et un paysage d'un autre temps les attendait. Un chemin s'ouvrait devant ses yeux et semblait s'élever vers le ciel, de chaque côté il n'y avait qu'un précipice aux falaises abruptes et le chemin semblait suspendu dans le vide.

Urulu le chasseur, a dû abandonner sa monture reptilienne qui s'est dissoute lorsqu'ils sont entrés dans ces ruines. Le chasseur portait cette amulette donnée par Yargos au cas où ces fugitifs atteindraient les cités solaires, mais il devait trouver un autre chemin, car il ne pourrait pas traverser ce chemin où il a vu sa proie marcher.

En cours de route, Kayla est restée pour tromper ce chasseur, tandis que Shankia a collecté les indices et les éléments qu'elle devait collecter pour devenir le Hugaxa, elle a trouvé une ancienne armure suspendue à un arbre et elle semblait très grande, mais elle l'a mise et cela s'adaptait à son corps, maintenant il était plus protégé par lui-même, apprécié du chasseur.

Kayla a immédiatement entrepris de trouver les tomas qui pourraient habiliter Shankia. Ces petites pierres qui appartenaient aux ancêtres pouvaient être dispersées et elle devait les trouver et en faire un collier de protection à donner à Shankia afin qu'il puisse combattre ceux qui les poursuivaient et d'autres bêtes qu'il trouvait en chemin.

— Que collectionnez-vous ? demanda Shankia.

— Selon les codex, il y avait 144 de ces petits pâtés au total et ils ont été cachés lorsqu'ils sont tombés dans la mer des ténèbres avec la première explosion et ne peuvent être secourus que par les samas ou par les Hugaxas, une classe de guerriers capable de naître dans l'obscurité pour trouver ces pierres et atteindre la lumière de Malva, réspondit-elle.

— Et toi, sans être suprême, comment peux-tu les reconnaître dans cette obscurité ? Demanda-Il.

— J'ai la capacité de voir à travers les ténèbres grâce à ma formation d'aspirant buma, mon pouvoir s'appelle la transcendance.

Avec les tumas ramassés, Kayla réussit à en mettre sur son bâton de pèlerin pour éclairer le chemin, c'était une lumière bleue pénétrante qui effrayait quelques oiseaux charognards qui attendaient pour fondre sur eux. Avec d'autres tumas verts, elle a tissé un collier qu'elle a remis à Shankia pour le mettre et immédiatement la peau de celui-ci est devenue verte.

— Ici commence l'étape de votre transformation. Vous devez surmonter les obstacles des escaliers et atteindre le sommet qui vous mènera à Malva où vous deviendrez le Hugaxa.

Ils ont parcouru une autre distance et Kayla a éteint ses tumas.

— Reposons-nous ici, le chasseur n'a pas pu traverser la route et avec votre collier et mes tombes il lui serait impossible de nous attaquer. Profitons du fait que nous sommes proches d'entrer dans les marches pour nous reposer et dormir un peu demain sera encore plus difficile que ce que nous avons affronté jusqu'à présent.

Ils trouvèrent un bon abri dans une petite grotte que Kayla illumina de quelques tumas oranges. Ils ont mangé des gâteaux de maïs et ont bu de l'eau et se sont installés pour dormir.

— Kayla, tu dors déjà ?

— Pourquoi ?

– Pouvons-nous parler de nous ?

— Je ne pense pas que ce soit le bon moment.

— J'ai besoin de savoir si j'ai de l'espoir, dit Shankia.

— Peut-être demain, mais d'abord tu dois t'occuper de ce chasseur et utiliser toutes les méthodes de combat que Sagi t'a apprises. Ce n'est qu'alors que vous me montrerez que vous pouvez gérer la tâche que Sagi et le buma vous ont confiée.

Chapitre 34
Un escalier vers le ciel

La matinée était froide et opaque, la brume s'était un peu dissipée et on voyait ces pas qui, comme le chemin, étaient suspendus dans ce ciel qui semblait moins gris. Ils ont mangé la dernière portion de galettes de maïs et ont bu l'eau du lac qui les a réconfortés.

Shankia se sentait plus forte avec ce collier de tumas. Il ne se souciait plus de la couleur de sa peau et de ces barbes et cheveux qui poussaient sur son corps.

«Tant que je ne deviens pas une bête, pensa-t-il.

— Il y a mille pas qui composent le chemin tortueux du jaguar, pour chaque centaine de pas que le marcheur est présenté, il y a une épreuve qu'il doit surmonter pour atteindre son but. Chaque test représente un ennemi à vaincre, dit-elle.

—Je suis prêt, dit-Il.

— Seuls des êtres dotés de pouvoirs divins peuvent gravir cet escalier, car un mortel ne serait pas capable de faire un premier pas ou de gravir la première marche. À chaque pause, l'aspirant porteur de feu ou guerrier protecteur ou aspirant Sama ou buma doit surmonter l'obstacle pour suivre l'autre cible, conclu Kayla

Shankia a regardé la première marche et a vu les empreintes laissées par Tuxe lorsqu'il est monté à Malva, qu'ils considéraient comme leur paradis après avoir vaincu les ténèbres.

— Avant de mettre le pied sur la première marche de l'empreinte d'un de ces anciens jaguars, vous devez savoir qu'il n'y a pas de retour en arrière, lui a-t-il dit.

— Ne m'accompagnerez -vous pas dans cette dernière partie ? demanda Shankia.

— Non, vous devriez le faire seul parce que ce sera votre plus grande transformation et si vous avez de la chance, cela se produira lorsque vous monterez ces marches.

— Et qu'allez-vous devenir ? demanda Shankia.

— Je dois retourner d'où nous venons, le chemin est libre et je pense que le chasseur va t'attendre quelque part sur les marches, tu dois faire attention. Je dois revenir, ma mission était de vous ramener ici sain et sauf. Je dois essayer de voir s'ils ont Tuxe prisonnier dans cette tour. Avi doit m'attendre caché quelque part à l'entrée de la ville.

— Si c'est notre adieu et que nous ne nous reverrons peut-être pas, dites-moi au moins quelque chose sur ma proposition.

— Il faut savoir que tous les montagnards sans exception ont le cœur fragile et qu'on se méfie quand on offre son cœur aux autres. C'est pourquoi nous ne faisons qu'un pacte d'amour entre nous, nous nous connaissons et nous respectons les serments. De là à flirter avec d'autres créatures qui ne sont pas de la montagne, c'est très difficile, on sait que rien ne brise aussi facilement qu'un cœur.

Shankia a vu comment Kayla s'est retournée pour partir et l'a vue se perdre en chemin sans savoir que les yeux de Kayla étaient inondés de larmes. Il ne fit pas le premier pas jusqu'à ce qu'il la voie se perdre complètement.

Chapitre 35
La transformation

Lorsque Shankia a marché sur la marche inférieure d'une piste de jaguar qui aurait pu être celle de Tuxe et a regardé à nouveau en arrière, le chemin avait disparu, ne laissant qu'un vide profond et sombre.

La première chose que Shankia remarqua fut la marque sur son front, le signe du ciel dont Sagi lui avait dit qu'il se manifesterait, ce signe imposé à ses ancêtres humains par origine et qu'il avait hérité d'eux et qui brillait de sa propre lumière, une lumière verdâtre. Comme le collier de tumas qu'il avait au cou et qui lui donnait le pouvoir d'être le Hugaxa.

Sur le premier escalier qui le conduirait sur les hauteurs de cette montagne dont il commençait à apercevoir la lumière, il trouva la canne perdue de Tuxe puis il la souleva instinctivement et, se retournant, fit face à la meute qui le poursuivait et que le suprême de ces terres avait envoyé après lui. Ces bêtes qui, en voyant cet objet briller dans sa main, ont commencé à fuir, mais cette bête qui commandait la chasse s'est jetée sur lui.

La bête l' attrapa par le cou puis par les pieds. Shankia a donné un coup de pied à la bête avec le pied qu'elle a placé sur la première marche et la bête s'est désintégrée alors que la force de l'énergie de ce bâton a jailli éclairant un large espace d'obscurité dont la lumière a atteint d'autres bêtes et l'a également transformée en poussière.

Sans plus tarder, Shankia a commencé à courir et à sauter ces marches. Au cinquième, il a pu se retourner pour voir si ses poursuivants le suivaient, puis il a vu ces forêts où vivaient les bêtes ardentes.

Il avait fait cent pas fatigants et très irréguliers entre eux et était arrivé au palier, qui était une large marche qui longeait une terrasse sur un morceau de montagne. Là, au centre de cette large marche, le chasseur l'attendait.

Il n'avait pas peur et regarda le chasseur dans son apparence humanoïde et tira lentement son épée.

— Je vois que vous maniez la fameuse épée éclair, celle que mon seigneur cherchait avec acharnement depuis longtemps, mais elle était cachée sur ce chemin pour vous.

Sans plus tarder, Shankia se lança contre ce chasseur et vit qu'il n'était plus un humain, ses mouvements étaient plutôt ceux d'un jaguar, ce à quoi le chasseur ne s'attendait pas pour que la transformation se fasse si rapidement et en trois mouvements Shankia réussit à enterrez son épée dans cet être qui a été dissous.

Le véritable test était en lui, Shankia a compris qu'il devait se vaincre. Pendant le voyage vers le sommet, j'endure des tempêtes, des tornades, toute la fureur de la nature qui se déchaîne sur ces marches qui la frappent. Chaque étirement était une torture. Il a vu des tremblements de terre, des déluges. La terre s'est ouverte, les volcans ont craché du feu, mais quand il a calmé son esprit, ces visions ont disparu jusqu'à ce qu'il atteigne la dernière marche.

« Au dernier arrêt où aboutit l'escalier du chemin du jaguar, le promeneur sera fortifié, il apparaîtra dans un paysage froid d'un plateau aride où un suprême ou le même Kabala apparut pour l'emmener à Malva.»

Mais personne n'attendait Shankia.

Il était épuisé, affamé et mort de froid lorsqu'il atteignit la marche inférieure, avait vaincu sa bête intérieure, non physique, et tomba presque au sol mollement. Il se laissa tomber et appuya son dos contre la racine d'un vieux saule et regarda le ciel qui ne s'était pas encore ouvert pour lui. En regardant ce ciel nuageux, il vit quelque chose venir vers lui.

C'était peut-être la bête ailée et il n'avait plus la force d'affronter qui que ce soit d'autre. Sens perdu.

Il rêva qu'un porteur de lumière de Malva venait monté sur un condor d'argent et avec l'apparition de Kabala lui faisait signe. Il vit un autre suprême monté sur un tapir et ce fut le buma des montagnes qui lui sourit. Mais quand ils se sont rapprochés, ils se sont tous les deux transformés en bête et se sont précipités sur lui.

Lorsqu'il ouvrit les yeux, il vit Ika, le condor de la montagne, qui faisait une venue sur lui et il se leva immédiatement avec une nouvelle force et sauta sur son dos, tous deux s'élevèrent vers le ciel.

Ika l'a déposé là, dans cette forêt appelée le sycomore, où Tuxe a reçu son couronnement du buma comme protecteur suprême des races et de l'univers. Shankia a revu Ika voler, qui allait rencontrer Kayla et Avi quelque part à Mongui.

L'arbre était un sapan à plusieurs travées, pas même dix jaguars joignant leurs griffes ne pouvaient l'englober, Shankia toucha l'arbre et l'esprit ancestral protecteur qui était à l'intérieur vit la marque du ciel sur le front de Shankia et s'ouvrit pour devenir le trône.

Là, il trouva le sceptre de Tuxe et le leva. Immédiatement hors des arbres, des esprits anciens qui sont devenus la légion de jaguars. Ils étaient 11 de peaux différentes selon la couleur de l'arbre et de l'ambre qui gardaient leurs esprits pour leur résurrection. Ce sont les mêmes qui avaient combattu au premier âge sous Tuxe et qui avaient forcé Yargos à se réfugier dans les terres lorsqu'il fut vaincu et rapatrié de Malva.

Les jaguars pensaient que c'était Tuxe , mais quand ils ont vu ce nouveau Hugaxa, cela semblait avoir un autre aspect entre l'humain et le jaguar. Shankia le lien de deux races choisies pour affronter les dieux de la faille. Ensuite ils se sont inclinés devant lui.

— Notre tâche est de conquérir chacune des nouvelles terres et de les libérer du pouvoir des guerriers des ténèbres et de leurs sombres régents placés là par Yargos pour asservir les races, dit solennellement Shankia ces ancêtres félins.

Ils partirent tous immédiatement pour les nouvelles terres, faisant leur chemin avec le sceptre de Tuxe et aidés par l'énergie des épées de ces joueurs, et ils atteignirent les forêts du sud pour rencontrer Duka père de Shankia.

Chapitre 36
La mort de la bête

Lorsque Shankia atteignit la crevasse, elle emprunta un ancien chemin qui longeait ce récif de rochers acérés. Le terrain est une faille géologique au sommet de cette montagne, près des anciennes cités ancestrales, les fameuses cités perdues.

Des oiseaux duxas voletaient dans ce ciel gris Des charognards qui se nourrissaient de la chair des guerriers tombés au combat. Les oiseaux ont essayé de faire tomber Shankia de la falaise alors qu'elle escaladait cette gorge jusqu'à ce qu'elle atteigne l'embouchure de la grotte.

Shankia se tenait devant l'entrée de la grotte et appela. Elle ne tremblait pas de peur, mais de cette force étrange qui envahissait son corps et montait jusqu'à son cœur. S'il vainquait cette bête, il pourrait libérer Tuxe et le ramener sur le trône, puis il rejoindrait son armée et avec son épée éclair et ramènerait l'ordre avec lui.

Ses mains reposaient nerveusement sur son corps mi-humain, mi-chat. Une bande verte , qui était sa couleur de guerre , était attachée à sa tête, retenant ses cheveux longs et indisciplinés tressés par les tisserands Gandua. Ils étaient les seuls à savoir comment tresser les cheveux d'un guerrier afin que la bête ne tresse pas ses pensées et qu'il ne devienne pas la proie du pouvoir mental que la bête exerçait sur ses adversaires.

Shankia entendit le grondement de quelque chose s'agiter des profondeurs de la grotte et du temple, ses muscles et ses mains griffues se serrèrent en poings et son esprit vola vers son arme placée dans l'étui sur son dos.

Son poignard de jade reposait sur sa ceinture d'un beau tissu où pendaient de petits récipients qui lui fournissaient de l'eau et des herbes à mâcher et sa hache pour frapper les crânes des têtes puissantes des guerriers des ténèbres. Il regarda son épée et du coin de l'œil vit le manche et le double tranchant de la lame, l'une des armes les plus meurtrières et la seule capable de diviser cet ennemi en deux s'il se trouvait à portée.

Une petite brise venait du nord et jouait avec les cheveux tressés de Shankia.

Il n'a pas prêté attention à la bruine grise comme le paysage et le ciel gris de cette vallée de la mort : comme l'appelaient toutes les créatures qui vivaient dans les terres.

Shankia faisait confiance à son intérieur et à ses sens, qui lui faisaient percevoir le moindre son à longue distance. Maintenant, il se concentrait sur son oreille pour percevoir le mouvement de la bête, qui ne semblait pas pressée. Le Troglo jouait avec sa patience. Son nez fin ne captait pas l'odeur de la créature pour évaluer sa taille ou sa lignée.

Un petit contact venant de la grotte le fit se concentrer à nouveau sur cette entrée où la bête devrait apparaître et qui devrait être profonde. La bête s'était mise à répondre à son défi depuis un certain temps.

Cette odeur qui filtrait par la bouche de la grotte donna le vertige à Shankia qui perdit sa posture. Il a dû dénouer son bandeau et l'attacher autour de son cou pour protéger son nez. Apparemment la bête remarqua l'action de Shankia, l'odeur disparut et fit place à une autre moins envahissante et plus tolérante.

Les oiseaux doges reculèrent et volèrent un peu plus loin sans perdre de vue la cible : le guerrier venu défier la créature la plus puissante de tous les pays.

Les cailloux autour de la grotte commencèrent à s'élever créant un fin nuage de poussière qui entoura le guerrier un instant avant de devenir un tourbillon là-haut. Le vent n'a fait qu'ébranler un peu Shankia , mais il n'a pas brisé sa concentration.

Quelque chose sortit de la bouche de la grotte, profitant de la confusion créée par ce vent et la poussière qui couvrit momentanément l'entrée. Quand tout s'est éclairci, il a montré un être de taille moyenne devant Shankia qui l'a pris par surprise. Shankia se souvint bientôt de sa posture et se souvint que la bête était spécialiste de toutes sortes de camouflages. Il avait l'habitude de confondre ses agresseurs en essayant de leur ressembler.

Soudain, El Troglo est devenu deux fois plus grand que Shankia. Il prit l'apparence d'un guerrier d'ébène avec une armure d'obsidienne protégeant son cœur. Cela lui a donné l'apparence d'un noble guerrier et non de la bête à cornes, qu'il a semblé voir au début. Shankia resserra son anneau pour que l'esprit de la créature ne joue pas avec le sien.

Le Troglo ressemblait d'abord à une créature née dans les fanges fétides de la vallée de la mort et non à ce guerrier qui se tenait devant lui.

Le Troglo avait une épée d'obsidienne dans le dos et une sorte de massue dans les mains avec de gros clous. Il reposait sur deux pattes épaisses terminées par des sabots à quatre doigts terminés par un crochet. Ses yeux violets ardents le fixaient.

Le Troglo moyen souriait, révélant des dents carrées si larges et si pointues qu'une seule morsure pouvait tuer n'importe quel ennemi.

— Enfin, les samas ont envoyé un guerrier digne d'un combat, dit le Troglo dont la voix était très douce, ce qui rendit Shankia étrange. Les reporters qui suivirent les exploits de cette bête disaient que sa voix était comme le tonnerre.

— C'est une bonne journée pour mourir, c'est une journée ensoleillée et il y a une légère brise, et bien qu'il n'y ait aucune trace de papillons et de libellules, sûrement quand l' un des deux mourront, ils apparaîtront pour nous dire au revoir, dit Shankia.

— Je regretterai que tu fasses partie de cette épopée, parce que je t'aime bien, j'aime les créatures qui meurent avec honneur et si tu as peur en ma présence, ton humour ne me le fait pas remarquer. J'ai attendu ce moment pendant longtemps, ça me fait mal ce que vous et votre espèce avez fait à nos ancêtres.

« Je t'attends, dit Shankia en dégainant la redoutable épée éclair.

La bête était un épéiste habile et avait laissé son marteau avec lequel il aimait achever ses adversaires quand ils étaient déjà fatigués et grièvement blessés . Les premiers lancers de Shankia ont été arrêtés avec une grande habileté par la bête. Elle se fit plus petite pour être à égalité avec la taille de Shankia , elle ne voulait pas d'avantages avec une guerrière aussi bien préparée que celle-ci.

— Je vois que les samas t'ont très bien appris, mais mon père m'a formé à de nouvelles positions d'attaque, donc pour l'instant nous allons nous battre avec ce que les samas t'ont appris, dit le Troglo.

Les coups d'épées allaient et venaient et la garde des deux guerriers resta ferme et ne laissa pas l'épée de l'autre entrer dans leur position.

La bête avait épuisé toutes les modalités de combat : les dix positions létales et quelques mouvements pour stopper les attaques d'un ennemi aussi habile.

Shankia apprécie sereinement l'aspect redoutable de la bête, que même une meute de chats ne pourrait abattre. Il faisait confiance à son entraînement et à son agilité, alors cette attaque l'a pris par surprise. Sans plus tarder, le Troglo lui a lancé ce couteau, qui l'a touché dans l'armure de sa poitrine et il l'a lancé à plusieurs mètres et a réussi à se redresser et à ne pas tomber au sol.

Shankia a senti la force de la bête, ce qu'elle a fait a été de respirer profondément et de prendre une poignée d'herbes dans le sac de l'une des sacoches à sa ceinture et de mâcher ces herbes, ce qui l'a aidée à effrayer la douleur et la fatigue.

La dernière attaque qu'il a faite à la bête l'a laissé sans épée, mais il avait réussi à pénétrer le bouclier dur qui protégeait son cœur et avec de la chance, la pointe de son épée avait touché le cœur de la bête qui était sur son côté gauche.

Un filet de sang bleu a commencé à jaillir de la blessure, mais elle n'était pas profonde et la bête l'a recouverte d'un chiffon de sa ceinture qu'elle utilisait pour essuyer la sueur lorsqu'elle combattait un suprême.

Shankia savait déjà où frapper pour affaiblir la bête. La bête attaqua avec une nouvelle vigueur et réussit à plaquer Shankia contre le rocher. Pour échapper à cette attaque, Shankia négligea sa garde et la bête réussit à le blesser au bras qui tenait son épée qu'il avait récupérée et qu'il relâcha à cause de la douleur.

La bête était confiante en pensant qu'elle avait déjà Shankia et leva son maillet pour le tuer à nouveau. Shankia a esquivé le coup et a enterré le poignard dans la même partie où il saignait. Le Troglo laissa échapper un cri d'agonie.

Shankia a dû s'enfuir de là, le cri expirant de la bête a fissuré la grotte et les fragments ont menacé de l'enterrer .

Chapitre 37
La reprise d'Izmir

La nouvelle que le Hugaxa a réussi à surmonter le chemin du jaguar et a tué le Troglo : la nouvelle bête créée par les dieux pour détruire les races, s'est propagée comme une traînée de poudre et les races ont acclamé cet exploit comme le leur.

Immédiatement , Alda, le suprême du sud et ses armées, se préparent à aller reprendre Izmir pour unir à nouveau les terres et bannir les armées de Rako et ses régents.

Duka a convoqué tous ceux qui avaient la capacité de se battre et Sagi a recruté plus de villageois fatigués du joug de Rako et de sa purge des chemins. Une puissante armée commandée par Duka partit pour Esmir, que sans la protection du Troglo et sans les renforts de Monguí il serait plus facile de conquérir.

Sur la route de la ville du sud l'opposition était peu. Shankia attendait Duka à ce confluent de routes avec ses guerriers jaguars illuminés d'un halo de lumière verte et avec sa fameuse épée qui brillait à sa taille.

Enfin Duka et ses soldats apparurent en formation complète, bien armés et nourris, dans un uniforme bleu qui était la couleur du sceptre d'Alda, le Suprême. Tous Duka et ses soldats ont été choqués de voir Shankia et les célèbres guerriers de Malva.

Quand ils sont entrés dans la ville, la situation a changé. Ils trouvèrent une défense de fer, qui les força à s'arrêter et à établir un camp provisoire près des murs de la ville.

— Toutes les routes sont bloquées, il y a des points de contrôle tous les kilomètres, il sera difficile de déployer l'armée sans attirer l'attention, nous devons neutraliser ces patrouilles et détruire ces points de contrôle et plutôt y placer nos soldats pour semer la confusion chez l'ennemi, je m'occuperai de déblayer les routes, j'irai avec ma petite armée et nous déblayerons les routes pour que notre armée se mobilise, dit Shankia à son père.

À l'intérieur de la tente, Duka a exposé son plan à ses capitaines pour libérer la ville. Duka regarda la vaste carte étalée sur la table. Ils pouvaient voir les défenses de fer que l'ennemi avait élevées sur les ruines des anciennes villes ancestrales qui appartenaient un jour aux races originelles venues de Malva.

— Le plan est de faire sortir l'armée de ces murs pour pouvoir la combattre en rase campagne, puisque ces murs sont imprenables, dit Duka.

—— Monsieur. J'ai quelqu'un infiltré et nous pouvons entrer quelques hommes par un passage secret afin qu'ils puissent mettre le désordre à l'intérieur de la ville et ainsi les confondre et pouvoir ouvrir les portes, dit un capitan.

Très bien, nous suivrons votre suggestion, dit Duka en regardant ce capitaine en qui il avait une grande confiance, de combien d'hommes avez-vous besoin pour semer le chaos ?

— Une vingtaine d'hommes, monsieur, j'ai aussi des amis dans l'ancienne armée et ils seront heureux de nous aider.

— Attendons l'aube pour que vous nous donniez le signal. Nous prendrons un contingent près des tours de la porte pour faire croire que nous voulons escalader le mur. Lorsque vous ouvrirez la porte, ce seront Shankia et ses guerriers jaguars qui entreront en premier, ce sont des guerriers très habiles et ils savent comment se déplacer dans cette situation. Je serai dehors à attendre que les soldats sortent de ces portes pour les combattre.

Le plan a parfaitement fonctionné. L'escarmouche a eu lieu sur les murs, où les soldats ont tiré leurs flèches sur les soldats de Duka, qui avec des échelles d'assaut ont prétendu qu'ils allaient escalader le mur. Ceux-ci ont négligé de garder les portes.

Duka ne savait pas ce qui s'était passé à l'intérieur ou si les soldats de Rako n'étaient pas motivés, mais les portes se sont ouvertes. Shankia a éclaté en brandissant sa redoutable épée éclair et en créant le chaos. Derrière ses guerriers culbutaient dans les airs et atterrissaient sur les palissades, blessant et tuant tous ceux qui se trouvaient à portée de leurs épées, chaque guerrier jaguar était capable d'assommer plus d'une centaine d'ennemis.

La bataille à l'intérieur du palais fut de courte durée. Rako et son entourage étaient introuvables .

Aux abords de la ville, Duka et ses hommes attendaient cachés parmi les arbres et des soldats apparurent devant eux qui voulaient se regrouper pour rentrer dans la ville, mais en voyant Duka, beaucoup de ses anciens hommes jetèrent leurs armes et se rendirent sans plus tarder. donner la bataille

L'armée entra dans la ville en triomphe et à sa tête se trouvait. Alda le suprême avec son sceptre levé, rayonnant une lumière éternelle à toutes les personnes présentes avec une couronne de laurier autour de sa tête. Les citoyens les ont accueillis avec des acclamations et des chants. Alda se rendit dans l'ancien palais occupé par ses conseillers et qu'elle devait remodeler car il avait besoin d'une nouvelle décoration.

Le premier côté qu'Alda a dicté était la reconstruction d'Ismir. Les guerres et les pillages les avaient laissés meurtris lorsque l'ancien suprême a disparu et que des artisans et des potiers ont été convoqués de tout le pays pour donner vie à une nouvelle ville qui sortira des décombres.

La restauration d'Izmir fut en un temps record grâce à l'énergie du Vang que possède la petite canne d'Alda.

— Je ne pourrais être plus fier d'en être le suprêm, dit Alda à tous ceux qui avaient contribué à restaurer la ville, « tous ont également coopéré pour que cette ville continue de briller dans ce ciel donné par l'origine à toutes les races et bien que le combat contre les ténèbres et ses bêtes continue.

— Troupes ennemies ils sont très loin de notre ville, dit Duka.

— La lumière ambrée que nous avons réussi à élever pour illuminer notre soleil et notre monde les éloigne, dit Alda.

— Les prières des villageois atteignent mon épée et mon armure pour lui donner plus d'éclat. Je me bats avec mes guerriers jaguars et la lumière de leurs épées protégera cette ville et ses villages, dit Shankia.

— L'objectif principal est d'apporter justice et équité à chacun des villageois, aussi éloignés soient-ils, afin que la lumière ambrée brille non seulement dans les cœurs mais dans chaque foyer. Devoir s'unir pour que l'obscurité ne trouve aucune ouverture par laquelle entrer dans notre ville, dit Alda.

Shankia et ses guerriers jaguars ont quitté la ville d'Izmir sur les ordres de Duka pour libérer les routes et les villages voisins et sont revenus victorieux dans la ville pour la trouver changée.

Architectes, dessinateurs, artisans, selliers et maîtres de pierre furent convoqués par Alda et laissèrent place à la reconstruction de la ville d'Izmir.

Il a ordonné que les rues soient finement conditionnées et qu'ils installent ces aqueducs qui amenaient l'eau de la montagne déjà bénie et purifiée par le buma afin qu'elle atteigne toutes les maisons dans tous les coins de la région . Les habitants qui ont retrouvé leur liberté ont joué un rôle important dans cette reconstruction. Les murs ont été renforcés pour résister aux attaques d'un envahisseur venu de Mongui.

Les samas experts dans la reconstruction ont mis leur sagesse et aidé par le labeur des artisans et maîtres de la pierre envoyés par le buma, la ville en quelques semaines a retrouvé son éclat.

Sagi a aidé les maîtres aubergistes et a soulevé de gros rochers avec l' énergie de sa tige qu'il a transportée dans les airs jusqu'à ce qu'il la place au- dessus des murs pour renforcer les murs.

Kayla s'est consacrée au transfert des réfugiés venus de la montagne ou des forêts voisines où ils s'étaient cachés pour les emmener dans la nouvelle ville.

Dans les camps qui se sont installés autour de la ville lors de sa rénovation. Kayla a recommencé à lire ses codex pour aider à vider l'esprit de ces villageois hommes et femmes, qui subissaient la pression mentale des dieux de la faille.

Chapitre 38
combats frontaliers

Rako s'est enfui en hâte cette nuit-là. En apprenant que l'armée de Duka venait du sud, pour prendre la ville. Il n'avait plus le pouvoir du Troglo qui l'avait protégé et la ville ne valait pas la peine d'être défendue. Quelques jours auparavant, il a envoyé tous les articles de la bibliothèque qu'il a personnellement emballés avec soin dans son ancienne maison de Mongi pour les sauver.

Maintenant, ils traversaient le pont de pierre avec quelques soldats qui les accompagnaient, vaincus et humiliés. Ce pont qu'il a traversé l'a éloigné de la région de Cherrua et dans les terres de Monguí. Il n'a pas ressenti d'émotion en retournant chez lui et sur sa terre. Peut-être cet échec était-il passible de la peine de mort. Pour la négligence avec laquelle il avait agi, permettant aux armées ennemies de se renforcer et aux Hugaxa d'apparaître pour détruire le Troglo.

Le lendemain, il se rendit à la tour noire, une masse de pierre grise où le Suprême Monguí régnait d'une main de fer.

Yargos était assis sur son trône de pierre et il était seul.

Rako entra dans cette pièce où il n'y avait que le trône d'obsidienne qui donnait le pouvoir à Yargos et à travers son trône, il pouvait communiquer avec les dieux de la faille.

Il a fait une venue et a rencontré les yeux de Yargos et Yargos lui a lancé un regard noir.

— Vous avez échoué dans votre mission, les races sont libres et les dieux ne s'assiéront pas sur le trône de Tuxe.

— J'admets ma faute, monsieur, j'ai été négligent et je mérite la pire punition, mais l'ennemi est très fort et a la protection du buma de la montagne et des samas. De plus, les renforts que j'avais demandés pour mater les rebelles dans le sud ne sont jamais arrivés.

— Ils ont été pris en embuscade par Duka et les samas avant d'atteindre Izmir, et les dieux sans le pouvoir de l'énergie noire qui leur donne la vie ne pourraient pas créer plus de soldats.

— L'ennemi a réussi à trouver le Hugaxa que nous ne pouvions pas éliminer et il a tué le Troglo qui protégeait le trône d'Izmir, dit Rako.

— Les dieux préparent une autre armée et très bientôt ils l'enverront ici pour reconquérir les terres que vous avez perdues, vous aurez une dernière chance de commander cette armée encore plus puissante et cette fois je veux la victoire. Les dieux ne veulent rien laisser en vie. Ils veulent que ces nouveaux soldats détruisent tout sur leur passage sans pitié. Il vous sera interdit de consulter à nouveau les codes, j'ai confisqué toute votre bibliothèque. Si vous gagnez cette fois, il vous sera rendu et vous serez nommé suprême. Pour le moment, vous ne serez que le commandant de cette nouvelle force et ce ne sera que parce que vous connaissez le terrain.

— Ce sera fait comme vous l'ordonnez et comme disent les dieux, dit Rako

La nuit dernière, Rako n'a pas bien dormi. Les images de son origine le tourmentaient et ne connaissant pas son but dans cette rude création, le faisaient hésiter devant le suprême.

Rako a quitté la capitale Góndola de Monguí monté sur une bête mineure. La masse de pierre grise, la tour où vivait Yargos, était derrière lui. Il allait rencontrer dans les bois de la petite forêt noire les nouveaux soldats envoyés par les dieux qu'il commandera à Esmir.

Rako envoya un corps de soldats qui lui étaient fidèles aux frontières pour espionner les mouvements de Duka et Shankia et pour garder le pont de pierre, le seul capable de résister au passage de cette nouvelle armée.

Rako atteignit la forêt engloutie dans la brume et vit les ombres des soldats envoyés par les dieux. Ils étaient là comme s'ils étaient immobiles, je ne distinguais ni leurs traits ni leurs corps. Il dut attendre que la brume se dissipe pour pouvoir les regarder et savoir comment les contrôler. Il ne savait pas quel genre de créature les dieux avaient envoyé, ce qui semblait être une énorme armée.

Quand le brouillard se fut dissipé, il put enfin voir les soldats, c'étaient des Troglos un peu plus petits que le Troglo que Hugaxa avait tué, mais tout aussi féroces dans des peaux verdâtres avec des casques étranges et à moitié nus. La plupart utilisaient des marteaux en acier, puis il a été convenu de la manière dont il pouvait communiquer avec eux.

C'est peut-être pour cela que Yargos lui avait pardonné, parce qu'il ne pouvait peut-être pas maîtriser sa langue qu'il avait apprise du premier Troglo. Puis il a fait ce cri et les soldats se sont réveillés de leur torpeur et ont répondu avec un autre son similaire.

Rako contrôlait maintenant cette armée qui ne il lui obéira et à personne d' autre, et cela inclut les dieux.

— Nous marcherons vers les terres des races et l'ordre est de tuer et de détruire. Nous nous dirigeons vers la frontière et traversons le pont. Quand on passe de l'autre côté, rien ne peut survivre", dit-il dans la langue des Troglos.

Seul un grondement comme un écho se fit entendre puis Rako se mit en mouvement suivi de cette armée de Troglos assoiffés de sang.

Chapitre 39
Une rencontre inattendue

Une fois de plus, la ville était florissante et ses habitants et leurs villages environnants étaient en sécurité, Duka et Shankia ont commencé à recruter les soldats qui avaient aidé aux travaux de reconstruction de la ville. L'armée a dû se rassembler pour marcher vers la frontière pour faire face à Yargos et une nouvelle armée envoyée par les dieux pour attaquer à nouveau la ville.

Sagi s'était déjà libéré de ses fonctions dans la ville et avait tout laissé entre les mains d'Alda et était allé rencontrer Duka et Shankia qui l'avaient informé de cette nouvelle armée

— Si cette armée est aussi puissante qu'on le dit, nous allons avoir besoin de l'aide du buma et de ses transcendances, aussi le buma a envoyé un appel urgent pour moi et je lui demanderai de nous accompagner dans cette compagnie, n'essayez pas n'importe quoi jusqu'à ce que nous revenions de la montagne, dit Sagi a Duka et Sankia.

Sagi a pris des précautions pour aller à la montagne. Il emprunta des routes vierges au cas où Yargos aurait envoyé des espions.

Il lui parut étrange que le buma lui demande d'emporter avec lui tout ce qu'il avait trouvé de Tuxe, ce qui n'était pas grand-chose et qu'il emballait dans un sac à dos.

Sagi a quitté le camp la nuit et a marché vers la montagne

La ville d'Izmir était bien protégée et il était heureux que s'il y avait des batailles, elles ne se dérouleraient qu'aux frontières, dans des endroits vacants où les villages et les citadins ne seraient pas blessés.

Dans la grotte de Sewa, Sagi et le buma ont contemplé l'armure que j'avais utilisée pour dévier cet astéroïde qui visait Malva.

— Plusieurs pièces d'armure importantes manquent, mais l'épée, si elle peut être reforgée, ne manque que du tuma qui lui donne la force et le pouvoir de fendre la bête en deux. Sans cette pebble, l'épée n'est rien de plus qu'un morceau de fer. Mon forgeron du feu lui donnera la même forme sans l'altérer , il a été customisé pour que la griffe de Tuxe tienne sur son manche, Mulay le forgeron dit au buma et à Sagi.

— C'est tout ce que j'ai pu trouver, dit Sagi.

— J'apprécie votre aide, les autres pièces manquantes ont été trouvées par Kayla cachées dans le chemin du jaguar et elle me les a données, afin que le potier puisse compléter le puzzle.

Sagi et le buma laissèrent les potiers et forgerons s'occuper de restaurer l'armure et l'épée de Tuxe et sortirent de la grotte.

— Qu'est-ce que c'était si important que tu veuilles commenter ? demanda Sagi.

— C'est une surprise, mais dites-moi d'abord des nouvelles de Mongi.

— Les dieux de la faille ont créé un nouvel exercice plus puissant et plus destructeur et nous allons avoir besoin de votre aide.

— Comptez sur mon aide, cette fois je peux descendre à terre sans crainte, mais allons à ma cabane, là est la surprise.

Ils retournèrent à la cabine et Navy le buma ouvrit silencieusement la porte et entra à l'intérieur. Sagi derrière lui le regarda très intrigué. Après avoir laissé les sacs à dos accrochés au portant et leurs bâtons dans un coin de la pièce, Sagi voulut s'asseoir.

— Va dans cette pièce et ouvre-la, lui dit le buma.

— Sagi est allé à la porte et l'a ouverte toute grande. Il s'y est figé.

Tuxe, voyant Sagi entrer dans la pièce, étendit les bras, Sagi le vit briller comme lorsqu'il le vit pour la première fois et lui fit un câlin.

— Mais comment est-ce possible ? Sagi a demandé à Navy qui les regardait avec un sourire.

— Un matin, j'ai ouvert ma porte et couché là était un être dont je ne savais pas si c'était un montagnard ou un pauvre villageois perdu. Il était en très mauvais état, je l'ai emmené au lac et je l'ai coulé dans ses eaux. Puis devant moi apparut la figure de Tuxe. Il lui a fallu plusieurs semaines pour récupérer. C'est pourquoi il ne pouvait pas quitter la montagne. Tuxe m'a fait promettre de ne le dire à personne tant que je ne serais pas en forme.

— Navy m'a dit tous les efforts que vous avez faits pour retrouver mon empreinte et je vous remercie mon vieil ami, dit Tuxe.

Les tisserands ont disposé les nouveaux vêtements sur un banc : une cape et la nouvelle ceinture aux marquages de Tuxe, qu'il a enfilé rapidement et a suivi ses amis dans le salon.

— Je veux descendre sur les terres immédiatement et retourner à Ismir, dit Tuxe.

— Il y aura du temps pour ça, dit Sagi les larmes aux yeux, voyant à nouveau Tuxe dans sa tenue suprême, ils s'étreignirent tous les deux à nouveau.

— Les jaguars ne versent pas de larmes comme les autres créatures, nos cœurs ne font que se froisser, dit Tuxe.

Marine contempla la scène émue et sortit un tuma violet et le posa sur le bout de son bâton et un bain de lumière illumina ces deux légendes du monde ancestral. Diverses transcendances se sont abattues sur eux.

Ils étaient confortablement assis dans la salle buma avec des tasses chaudes d'herbes aromatiques. Dans la cheminée, le feu éternel brillait et illuminait les visages des trois.

Tuxe a commencé la narration de tout ce qui s'est passé, d'une voix lente et délibérée.

« La bête du déluge mourante s'est jetée sur moi et m'a jeté de cette falaise, juste au moment où les dieux fendus étaient sur le point de m'achever. Nous sommes tombés dans cette mer agitée où l'on apprécie les têtes d'autres dieux qui m'étaient inconnus. J'étais très faible , les dieux se nourrissaient de toutes mes immortalités et ils avaient presque vidé tout mon pouvoir, celui de ma lignée jaguar, celle qui m'a donné l'origine lorsque j'ai réussi à récupérer l'ambre des profondeurs des ténèbres.

» Je n'avais pas la force de combattre aucun de ces dieux qui ont essayé de me dévorer. La bête déluge dans un dernier acte de courage m'entraîna jusqu'au bord d'une petite plage de sable rouge. Puis elle retourna faire face à ces dieux qui la dévorèrent en quelques secondes. Moi comme je pouvais et faible, comme tu étais j'ai couru et couru. Je me suis évanoui plusieurs fois et quand je suis revenu à moi, j'ai continué à courir. Les dieux croyaient qu'il était mort , ils ne pouvaient pas voir d'en haut s'il était vivant. Cela m'a donné le temps de trouver un moyen de sortir de ce cri, ce qui a pris du temps. J'ai parcouru ces terres affamé, fuyant des bêtes moindres et des créatures rares aussi affamées que moi.»

Pendant longtemps j'ai perdu connaissance et je ne savais pas qui j'étais, j'ai seulement entendu la voix de ces dieux dans ma tête et j'ai couru pour essayer de les faire sortir de moi.

» A cette époque où la bête était la plus occupée à usurper le trône des races après la conjuration de l'ordre du jaguar. Les dieux m'ont négligé et j'ai pu sortir de ce dédale de friches. Un jour, je me suis retrouvé à marcher sur une route poussiéreuse qui m'a conduit à l'entrée d'un village.

» Mes cauchemars ont pris fin lorsque je suis entré par hasard sur les terres des races : car la faille est un labyrinthe d'où presque personne ne sort. Dans ces terres, les villageois ont eu pitié de ma condition. Ils pensaient que j'étais un de ces pèlerins perdus de la montagne et ils m'ont donné un abri et de la nourriture. Un jour, alors que je me sentais mieux, ils m'ont emmené écouter les histoires de quelqu'un qui était venu au village.

» Ce rapporteur était notre chère Kayla. Au début de la narration, quelque chose s'est éclairci en moi et j'ai commencé à reprendre conscience. C'est grâce à elle et aux codex lus par elle que j'ai retrouvé la raison. Mais mes ennemis me cherchaient anxieusement et un jour que je me promenais seul dans la forêt en réfléchissant sur la création, j'ai été attaqué par des bêtes envoyées pour me tuer. Je les ai fuis après avoir tué leur chef. La force m'est venue petit à petit , jusqu'à ce que je réussisse à atteindre la montagne et réussisse à me rendre à la porte du buma où je me suis évanoui et je ne me souviens de rien d'autre. Pendant plusieurs jours, selon le buma, j'ai perdu connaissance.

— Apparemment, l'arrivée soudaine de Tuxe coïncide avec l'apparition du rugissement du jaguar dans les forêts d'Ismir : ce qui fait le bonheur des habitants, un jaguar est un signe de protection et de bien-être, dit le buma.

Chapitre 40

De retour a l'action

Sagi et Tuxe ont accepté de retourner sur les terres et d'aider Duka et Shankia.

— Nous devons descendre le côté ouest de la montagne qui nous conduira près des terres de Monguí, ces routes n'ont pas encore été empruntées par l'armée de Duka et nous devons faire attention —dit Sagi.

Ils ont dit au revoir à Navy qui a promis de les rencontrer sur le champ de bataille. Ils commencèrent la descente du côté de la montagne qui était le plus accidenté et n'avait ni pistes ni sentiers balisés.

Le lendemain matin, après un petit déjeuner frugal, ils suivirent le chemin et trouvèrent des chemins très bien balisés par les villageois qui les mèneraient sûrement dans la vallée de la mort , là où Duka et Shankia devaient déjà se trouver.

– Arrêtez !

Les deux ont été surpris de voir une patrouille apparaître devant eux et de leurs couleurs, ils étaient de l'armée Rako. La patrouille était composée de deux humains et de deux reptiliens qui pointaient leurs lances sur eux.

– Quel est votre mot de passe ? demanda celui qui leur avait crié dessus plus tôt et qui était apparemment l'officier responsable.

– Nous sommes deux pauvres villageois perdus dans ces chemins du seigneur, dit Sagi.

— Ils me paraissent suspects, et puis ces vêtements ne vont pas avec des vêtements de fermier, dit l'officier, et se tournant vers un autre de ces soldats, faites attention et emmenez -les au camp pour les interroger.

— Je peux m'occuper de ces soldats, murmura Tuxe à Sagi.

— Espérons qu'ils nous emmènent jusqu'au chemin central, de là je pourrai trouver le camp de Duka et ensuite tu pourras prendre le relais.

Apparemment le camp était loin , les deux soldats qui avaient ligoté Sagi et Tuxe se sont arrêtés et les ont attachés à un arbre.

Pendant qu'ils allumaient un feu et réchauffaient quelque chose à manger, il profita de J'ai dû couper ses liens sans effort , puis il a détaché Sagi. Puis Sagi a déchargé des coups sur la tête de ces gardes et les deux se sont enfuis. Sagi s'était orienté et maintenant ils suivaient un chemin sûr vers le camp de Duka.

Ils ont rencontré une autre patrouille, mais cette fois Sagi a distingué la couleur des rubans sur les uniformes de ces soldats et quand ils ont demandé le mot de passe, elle le leur a donné et ils ont été emmenés à travers une sorte de tunnel creusé profondément dans le sol qui menait dans une grande grotte où se trouvait le camp central.

Les voyant déjà dans leur véritable apparence, Duka a remercié le créateur de les avoir ramenés en toute sécurité. Mais il ne sortit pas de son étonnement lorsqu'il vit Tuxe qui n'avait plus l'apparence d'un villageois, mais d'un jaguar à la peau dorée, Duka s'agenouilla immédiatement et l'autre haut commandement fit de même.

— Par le cœur du ciel, c'étaient les renforts que j'attendais pour cette bataille que nous combattrons dans la vallée de la mort avec l'armée de Rako, dit Duka

— Lève-toi, c'est moi, Je dois m'incliner devant vous car vous avez très bien défendu ces terres, je viens pour collaborer et non pour commander, alors Duka dites-moi comment je peux vous aider à être utile dans vos plans.

— L'objectif est d'empêcher cette nouvelle armée de traverser le pont de pierre qui mène à la ville d'Izmir. Nous allons l'abattre , c'est ce que font Shankia et ses guerriers. Ainsi nous les forcerons à traverser la rivière et à se faire face en plein champ dans la vallée de la mort. Si nous avons de la chance, nous traverserons la rivière et irons directement à

Gondola, la capitale de Mongui pour détruire la tour et le trône de pierre de Yargos, le dit Duka.

Chapitre 41
La bataille finale

Duka mobilisa son armée vers la vallée de la mort, bordée par le fleuve Mekon, qui dans cette partie prit une couleur sombre. Shankia avait accompli sa mission et avait fait tomber le pont de pierre.

La vallée froide de la mort, une étendue de terre stérile et vide, semblait encore plus grise à cette heure du matin.

Lorsque les soldats de Duka sont allés au combat contre les guerriers de Mongi, ils étaient protégés par une lumière ambrée qui brillait à l'intérieur d'une racine de forêt de sycomore.

Alda le suprême d'Ismir était à ses côtés et leva son sceptre qui émettait une lumière magenta dont la lumière s'étendait englobant toute son armée et se protégeait d'un halo de cette lumière. En regardant ses soldats composés de villageois d'origine humaine, Duka semblait voir des créatures plus anciennes de la première ère.

Un son de flûtes et de tambours brisa la paix du paysage et Duka put voir la marine buma accompagnée des maîtres du chemin. Le buma leva son bâton et un halo de lumière couleur de miel couvrit sa petite armée composée d'animaux sacrés venus des forêts spirituelles de la montagne. Un sourire se dessina sur le visage de Duka.

Le buma avait voyagé depuis la montagne accompagné d'une petite armée et l'ambre récolté depuis des années et sa lumière s'intensifiait déjà sur la pointe des longs bâtons de pèlerins que les maîtres tiennent dans leurs mains palmées ou sur le petit bâton de marine prêt à être activé.

Ils traversèrent ces champs fleuris et traversèrent la grande vallée de Izmir pour rencontrer les autres armées qui venaient de différentes directions. L'objectif était d'empêcher le gros de l'armée de Yargos qui avait été disposée de l'autre côté de la longue frontière qui divisait le fleuve Mekon avec Izmir de pénétrer à nouveau sur les terres libérées par Duka et son armée rebelle.

Le buma était monté sur un dante à la peau bleutée. A côté de lui chevauchaient les quatre maîtres de la route montés sur de gros marronniers bruns. C'étaient tous des ancêtres qui avaient été réveillés par le buma dans le sanctuaire où ils reposaient.

Shankia est apparue avec ses guerriers jaguars et la lumière verte a illuminé leurs silhouettes et Shankia a occupé ce champ de bataille à l'endroit convenu avec Duka.

Le dernier à apparaître fut Tuxe et il n'avait pas son sceptre , mais la fameuse épée immortelle cadeau de Kabala avec une forge millénaire qui dégageait une lumière rougeâtre qui contrastait avec la peau dorée de Tuxe. Il était seul, mais cette épée valait une armée de cent hommes.

Toutes les forces disponibles ont été appelées à affronter la bataille finale. Des roseaux et des tuyaux de mil résonnaient dans toute la montagne, faisant appel aux forces invisibles et aux pouvoirs anciens pour aider le Tuxe Suprême dans cette bataille décisive contre les dieux du cri et l'armée de Yargos.

Le silence, après que tout le monde était prêt à affronter l'armée ennemie, a été rompu par le son des chants stridents et le fracas des épées de l'armée ennemie. Ils ont commencé à traverser cette partie de la rivière moins profonde pour faire face à l'armée de Duka.

Les premiers à traverser furent un groupe d'une centaine de Troglos, et Shankia et ses guerriers s'avancèrent vers eux, épées levées. Shankia connaissait la faiblesse des Troglos et savait comment ils pouvaient être tués. Il a enseigné le secret aux autres guerriers jaguars et chacun a pris en charge au moins dix troglos qui se déchaînaient.

L'attaque de Shankia était précise et dévastatrice, et lui et ses guerriers semblaient exécuter une danse, avant que les lents Troglos ne sachent comment réagir. Leur chef était celui qui tomba le premier par l'épée de Shankia.

Duka regarda avec étonnement les pirouettes agiles que ces guerriers jaguars exécutaient et la précision de leurs épées. Il a vu ces bêtes qu'il croyait invincibles tomber devant le pouvoir de ces guerriers Malva. Lorsque les jaguars se retirèrent , laissant les Troglos éparpillés sur le sol, Duka envoya ses soldats pour les retirer du terrain et les ériger sur un bûcher.

Une bête trois fois plus grosse qu'un Troglo a émergé de cette rivière en poussant des hurlements de défi et c'est Tuxe qui s'en est chargé , il connaissait l'origine de cette créature.

Tuxe bondit en l'air et coupa l'une des cornes de la bête, car c'était là qu'était sa force. La bête affaiblie se déplaçait plus lentement et son reflet n'était pas aussi précis. En attaquant Tuxe avec sa queue pointue ou en utilisant ses griffes pour essayer de blesser Tuxe. Le mouvement du félin fut plus rapide et Tuxe en profita pour délivrer une poussée qui affaiblit la bête et la fit doubler. Puis Tuxe lui donna le coup de grâce en lui coupant la tête, qui roula dans la rivière où il disparut.

Rako, qui observait attentivement la scène, n'attendit plus et ordonna au gros de son armée d'avancer.

Le choc des armées fut brutal et pour le moment aucune ne tomba car la pression se fit avec les boucliers. Cette pression fit reculer les soldats Duka , le buma dut intervenir voyant le combat inégal entre les soldats Duka et Rako qu'il pouvait submerger l'armée en écrasant de son poids. Les reptiliens étaient plus forts que les humains et la puissance lumineuse du sceptre d'Alda ne pouvait pas être envoyée car elle pouvait illuminer l' armée ennemie .

Le buma et les enseignants ont avancé et Navy a commencé à jeter ces diamants d'ambre qu'il avait dans son sac à dos et qu'il avait récoltés pour cette occasion. Alors que cet ambre éclatait à l'intérieur, le gros de l'armée de Rako relâcha la pression et permit à l'armée de Duka d'avancer et de se déplacer facilement. Les reptiliens disparaissent à chaque explosion, libérant de l'espace.

L'attaque du buma et des enseignants a cessé lorsque l'ambre s'est épuisé. Une grande partie de l'armée de ces reptiles avait déjà disparu, laissant une force égale et Duka a pu attaquer librement aidé par les enseignants et les buma qui ont commencé à se battre au corps à corps avec l'ennemi.

Après au moins six heures de bataille, très peu de poches de combat subsistaient. Dans l'une de ces lumières, Duka a rencontré Rako face à face. Quelques coups suffisent à Duka pour savoir qu'il ne vaincrait jamais Rako, bien qu'il continue à lui faire face avec son épée. De plus en plus Rako le repoussait et s'offrait le luxe d'éliminer ses soldats qui lui venaient en aide . Alors que Rako était sur le point de porter un coup final au corps déchu de Duka, Alda apparut , sans sceptre ni couronne brandissant une épée pour arrêter la dernière attaque qui lui était dirigée.

Duka remercia Alda et se retira de côté pour voir ce combat entre les deux suprêmes, l'un légitime et l'autre faux.

Le combat était même entre les deux. Rako a abandonné son épée et a facilement paré Alda avec une hache de fer. Dans un coup de chance, il fit voler l'épée d'Alda dans les airs. Ce qui laissa celui-ci à la merci du tranchant de la hache de Rako qui frappa la tête du suzerain. Le suprême réussit à esquiver à moitié la lance , mais fut blessé à l'épaule. Déjà à moitié courbé de douleur, il attendit la fin du Dulka de Rako et lorsqu'il leva la hache, il se déplaça plus vite et un fragment d'ambre allongé semblable dans sa main et le planta dans l'œil gauche de Rako qui recula, lâcha la hache et brûlé dans les flammes.

Duka s'empara du champ de bataille et les soldats de Rako furent faits prisonniers, cette bataille avait été gagnée par les forces alliées.

Au-dessus de ce ciel, où la bataille avec les oiseaux duxa était aussi dure que celle sur terre et où Kayla et Ika pulvérisaient ces oiseaux saura avec leurs bâtons lumineux ambrés.

—— Nous ne pourrons pas vaincre cette armée pendant que les dieux sont dans la faille, créant plus de Troglos et les envoyant contre nous. Nous devons d'abord vaincre ces dieux afin de vaincre cette armée de Yargos. J'irai jusqu'à cette fissure , je suis le seul à avoir le pouvoir et la force d'y arriver et de les affronter. Dans ma captivité , j'ai trouvé le chemin de cet abîme où ces dieux sont cachés, dit Tuxe.

Fais attention, mon vieil ami, dit le buma, je t'enverrai de l'aide.

Tuxe est passé inaperçu, mais a d'abord demandé à Sagi de dire à Shankia de diriger les jaguars de Malva pour soutenir l'assaut de Duka sur la tour et la capitale de Gondola.

Chapitre 42
prendre d'assaut le trône de pierre

Le pont qui relie la vallée de la mort à Góndola, la capitale de Monguí. Elle menait directement à la tour, une masse sombre , où se trouvait le trône de pierre. Celui-ci était protégé par un oiseau terrible qui lançait du feu sur les premiers soldats de Duka qui avaient osé escalader cette sombre tour où Yargos était caché et qui reliait le trône de pierre au pouvoir des dieux.

Le premier groupe avancé envoyé par Duka était sans bouclier et ils étaient une proie facile pour ces flèches ennemies tirées du haut de la tour et ils ont dû battre en retraite. Le buma envoya un signal à Ika qui patrouillait dans le ciel prêt à passer à l'action contre les grands oiseaux qui se mobilisaient depuis la haute tour de la capitale. Kayla se déplaçant également sur le dos d'Ika utilisa son bâton de pèlerin pour pousser les archers du haut de la tour jusqu'au fond de la vallée sans leur laisser le temps de réagir.

Kayla est venue avec Ika qui a volé pour combattre les oiseaux doges qui crachaient du feu d'en haut sur quiconque s'approchait de la tour.

Ika était venu de la montagne avec des faucons qui ont abattu plusieurs oiseaux lorsque les armées se sont battues dans la vallée de la mort.

Kayla et Ika ont attiré l'attention de quelques oiseaux moins importants qui ont laissé la bête ailée seule avec les archers et sont allés après Ika. Ils remarquèrent tous les deux ces oiseaux, mais les archers empêchèrent Kayla de se rapprocher.

Une partie de l'avancée de l'armée de Duka avait réussi à franchir un point plus haut sur un pont de fortune.

Le buma et son agile monture ont été les premiers à atteindre le dernier pont de bois qui reliait la porte de fer de la tour et ont levé son bâton qui a allumé cette lumière ambre. Il fut rejoint par les professeurs avec leurs bâtons de pèlerin et lui montra le pont qui reliait à la tour, où des Troglos armés de gourdins de fer, rescapés de la bataille, barraient le passage.

Unissant la puissance de leurs bâtons, les buma et les enseignants ont tiré ce jet de lumière ambrée qui a détruit les bases de ce vieux pont de pierre et immédiatement les Troglos sont tombés dans les eaux turbulentes et ont été entraînés en aval par le courant.

L'ordre que Shankia a reçu de Duka était d'entrer dans la tour et de détruire Yargos pendant qu'ils combattaient leur armée à l'extérieur.

Kayla avait débarrassé la tour des archers et tué la bête doge qui empêchait les jaguars d'escalader les murs en utilisant ses pattes comme ventouses. Avec cette aide, les jaguars aux mouvements agiles atteignirent bientôt le sommet de la tour où ils combattirent avec des soldats qui constituaient la première ligne de protection de Yargos.

Sur les remparts et dans la tour, Shankia et les jaguars étaient aux prises avec un certain nombre de soldats et la garde personnelle de Yargos.

Duka est venu à la porte avec une vingtaine d'hommes apportant un lourd bélier et a commencé à marteler les portes. Après plusieurs tentatives, les portes cédèrent et ils entrèrent.

Ils ont été reçus par un corps de soldats qui ont affronté les soldats de Duka. Il a commencé à fouiller les couloirs jusqu'à ce qu'il entre dans une grande pièce et au centre se trouvait ce trône de pierre. Assis dessus, Yargos prit l'apparence d'une bête cornue aux yeux multiples et rit en voyant Duka qui avait l'audace d'avancer vers lui l'épée à la main. haut.

– Êtes-vous le Hugaxa ?

— Non, mais je peux affronter la bête des ténèbres.

D'un bond, Yargos arracha l'épée des mains de Duka et d'une autre main le souleva du sol et plongea sa propre épée dans sa poitrine. Duka est tombé avec un dernier souffle et a crié.

Le cri atteint les oreilles de Shankia qui se débarrasse de deux adversaires et court jusqu'à l'endroit d'où provenaient les cris de son père.

Sagi était agenouillé devant le corps mourant de Duka. Debout , Avi et Joe assistent à la scène, sans savoir quoi faire.

Shankia a contemplé l'image de son père mort sans accorder de crédit à ses yeux et s'est jetée à côté du corps de Duka.

Sagi et les autres samas se jettent contre le trône qu'ils ont juré de détruire et avec leurs massues ils battent ce trône construit en roche d'obsidienne. Lorsque la dernière pierre est tombée, elle a révélé un trou dans le sol d'où s'échappe une vapeur bleutée.

— Ce trône communique avec la faille", dit Sagi à Shankia, et vous êtes le seul à pouvoir la traverser et atteindre Yargos.

Shankia a sauté dans cet abîme noir en suivant l'empreinte de Yargos et a atterri sur une petite plage rouge près d'une mer écumante.

Au centre se trouvait Yargos qui n'utilisait plus sa forme de bête , mais plutôt celle d'un humanoïde.

— Alors tu es le fameux Hugaxa.

— Tu as tué mon père et tu vas le payer.

— Ici, en ce lieu, mon pouvoir est plus fort que le vôtre.

— Nous verrons cela, dit Shankia en sortant son épée.

Ils se regardèrent tous les deux et l'acier de leurs épées brillait dans cette nuit éternelle que Yargos avait convoqué pour avoir plus de puissance et donner plus de force à son bras, les coups de Shankia étaient puissants

Le premier coup de foudre fit reculer Yargos, des étincelles volant dans le ciel noir comme des lucioles. L'épée corbeau des Yargos qui n'était autre que l'épée Tuxe transformée a presque sauté de la griffe de Yargos.

À chaque coup de l'épée éclair contre le bouclier, il devenait plus difficile et réussissait à fracturer le bouclier de Yargos qui jura et jeta son bouclier de côté. Puis Shankia a jeté ce bouclier improvisé qu'elle a pris sur cette plage et a fait de même pour être à égalité, maintenant ce serait épée contre épée.

Dans le feu du combat et le croisement des deux épées les fit sauter des mains des combattants et s'évanouir dans le vide en raison du pouvoir que les dieux exerçaient dans cette partie de la crevasse.

Shankia saisit le moment et bondit sur Yargos qui ne s'attendait pas à cette attaque. Shankia l' écrasa de tout le poids de son corps et le poussa dans la mer écumante où il fut dévoré par les dieux.

Avant que ces dieux ne l' atteignent, Shankia a couru et a réussi à localiser l'endroit d'où il venait. Après l'avoir traversé dans l'obscurité totale, Il arriva à la salle du trône détruite par les samas.

Le corps de son père avait disparu. Tout était désert et silencieux. Il suivit sa trace en demandant à ses gardes qui s'emparèrent des lieux et maîtrisèrent les ennemis. Ils libéraient de nombreux prisonniers des cellules et lui ont dit où se trouvait son père. Il a suivi les instructions.

Shankia atteignit la tente installée à la périphérie de la tour, où le buma se tenait devant le corps de son père. et les samas autour.

— J'étais en retard pour le ramener à la vie, son esprit marchait déjà vers la fissure appelée par les dieux, mais j'ai réussi à détourner sa course et maintenant Malva arrive, où il vivra dans les forêts comme un esprit, dit le buma.

Le buma sortit de la tente et vit Kayla et Ika à proximité. Ika a bu de l'eau d'un ruisseau, tandis que Kayla assise sur une pierre a été attristée par la nouvelle de la mort de Duka.

— Tuxe a besoin de votre aide et de celle du condor, nous maîtrisons la situation ici.

Kayla grimpa dans le condor et ensemble, ils s'élancèrent vers la crevasse.

Chapitre 43
Le crack et les dieux

Tuxe atteignit le bord de la crevasse et écouta l'abîme et sans réfléchir il se jeta dans le vide. Son objectif était de tuer ces dieux et de fermer cette faille pour toujours. Avec son armure restaurée, son épée et l'ambre dans son poing, il se sentait en sécurité. Sa canne a jeté un coup d'œil hors de son sac à dos et avec elle, il restaurera le ciel des courses.

Il a atterri sur ce sable rouge et a levé les yeux sur ce récif et a vu l'entrée de la grotte. Une bête protégea ces dieux destructeurs et commença à monter jusqu'à l'embouchure de cette grotte.

La fissure semblait sans fin, c'était comme la même obscurité, seulement maintenant d'une manière physique.

Les dieux dormaient paisiblement dans une grotte de la faille, pensant que le ciel et ses villes brillantes étaient tombés dans la mer des ténèbres et que la nouvelle bête qu'ils avaient créée avait réussi.

Les dieux aspiraient à revenir au début avant la manifestation de la lumière ambrée, quand la mort et la guerre n'avaient pas été établies. Ils vivaient seuls dans le vide et le silence jusqu'à ce que cette créature illumine le ciel et vole une partie de leur cœur et de leur esprit.

La lumière persistante brillait haut sur la montagne, et une nouvelle aube s'installa après mille ans d'obscurité qui avaient complètement sapé la constellation du jaguar et les races. Le bruit des oiseaux qu'ils détestaient tant et qui faisait revenir à la vie ceux qui étaient enterrés dans la terre dévorant l'immortalité des créatures du ciel d' origine.

Les dieux se sont réveillés surpris de sentir la présence du suprême.

Tuxe entra dans la grotte avec son épée levée, la lumière ambrée de sa poignée éclairant la grotte.

Les cinq dieux étaient éveillés et ont réussi à accumuler suffisamment d'énergie pour éveiller la puissance de cet abîme. Un des dieux : le plus petit de ces reptiles bondit et tenta avec ses griffes d'arracher l'épée de Tuxe , mais Tuxe fut plus rapide et plongea son épée dans la poitrine de la bête, qui poussa un cri de mort et courut se jeter à terre. dans le vide

Un autre dieu s'avança vers lui.

— Tu vas maintenant affronter la bête, celle que tu veux tuer, celle qui t'a sauvé de la mort et qui t'a gardé en vie alors que tu étais condamné à mourir.

Tuxe pensait que cette voix était dans sa tête, mais le dieu était devant lui.

— Cette bête que tu appelles ma mère, a tué presque tout le monde ancestral : elle a dévoré les oiseaux, détruit les forêts avec son feu, tué les plus beaux animaux jamais créés et maintenant elle veut détruire cette épopée que j'ai tissée avec amour et illuminée avec une lumière éternelle, dit Tuxe

— Elle n'est pas coupable, je la crois pour tout détruire. Lorsque les ténèbres ont été perturbées par la lumière du créateur et que la moitié de mon cœur a été arrachée pour créer cet univers, tout s'est effondré. Je n'ai pas de paix et je veux retrouver cette force qui me rend indestructible, dit le dieu.

Tuxe recula de quelques pas pour éviter que le dieu ne s'approche de lui, il essayait d'entrer dans son esprit.

Les dieux restants étaient quatre et entouraient Tuxe.

— La bête n'existe pas, nous la détruisons de la même manière que nous la créons et l'utilisons, vous ne saurez jamais si c'était votre mère.

Un profond regret envahit l'intérieur du cœur de Tuxe. La vérité, non seulement de son origine, mais de Mukura, est morte avec elle et les dieux ne lui diraient jamais la vérité.

— C'est nous maintenant qui avons le pouvoir de détruire l'ancien univers et ses mondes, et vous le verrez tomber dans l'abîme avant de mourir.

Un dieu s'avança et désarma Tuxe, qui sans son épée se sentait affaibli et à la merci de ces dieux, un autre le tenait par le cou avec sa queue.

Volant sur le dos d'Ika, Kayla ne pensait pas qu'elle arriverait à la crevasse à temps pour sauver Tuxe.

Le condor était heureux d'avoir à nouveau un buma avec cette transcendance et cette énergie renouvelée. Ils ont atteint la fissure par un chemin différent de celui que Tuxe a emprunté et Ika n'a pas hésité à se jeter par cette bouche dans le vide en essayant d'éviter que la force qui sortait parfois de cet abîme ne soit poussée dans cette mer intérieure de ténèbres. où l'énergie noire pourrait détruire l'immortalité des créatures venues de Malva ou de la montagne.

Kayla a activé une de ses transcendances, celle qui lui permet de se montrer en tant que guerrière et a atteint la forme d'un tatou et avec sa verge elle a fustigé un dieu qui était à l'embouchure de la grotte et a réussi à le jeter par-dessus le récif.

Elle avait auparavant avalé l'une des graines d'un arbre à mémoire et s'était lancée dans le vide depuis le dos d'Ika. Alors qu'il tombait dans le vide, la graine éclata en lui , lui donnant le pouvoir d'un arbre étoilé qui envahit son intérieur et recouvrit son extérieur de résine. Un ambre orange qui la protégeait des coups des dieux.

Lorsqu'il entra dans la grotte, deux dieux étaient aux prises avec Tuxe et l'un d'eux le tenait, tandis qu'un autre était prêt à le traverser avec sa propre épée.

Les dieux ont libéré Tuxe quand ils ont vu la lueur de Kayla et l'ont regardée, puis les dieux ont compris.

Soudain , les dieux reptiliens libérèrent Tuxe et s'élevèrent du fond de la faille. C'étaient trois monstres d'une époque ancienne. Leurs ailes déployées assombrissaient le soleil de Tulka. Tout s'obscurcit comme au commencement, quand la lumière éternelle ne brillait pas à l'infini. Ils portaient leurs bâtons remplis d'énergie Nuang capable de détruire l'univers. Ils avaient exploité cette énergie lorsqu'ils avaient volé l'ambre de Tuxe.

Le suprême qu'ils gardaient captif pour se nourrir de leur immortalité, leur a donné le secret de la façon de détruire la montagne, si la montagne était détruite, l'univers ancestral et tout ce qui était créé mourraient.

Tuxe était occupé à lutter avec un autre de ces dieux qui l'avaient emprisonné, suffoquant avec cette queue, Kayla a frappé cette queue avec son bâton, avec une telle force que le monstre l'a libéré, dont Tuxe a profité pour plonger son épée au cœur de la bête.

— Merci Kayla pour ton aide, mais tu dois sortir pour protéger la montagne. Trois dieux ont réussi à sortir et s'y dirigent, je peux continuer à combattre ces bêtes, mais vous devez les empêcher de détruire la montagne.

Ika a volé aussi vite qu'elle le pouvait et ils ont aperçu ces monstres qui se dirigeaient droit vers la montagne. Ils ont volé très près de cette bête et Ika a atterri au pied de la montagne.

Kayla sortit l'ambre de son sac à dos et l'ouvrit, à l'intérieur d'une graine d'arbre aux mille étoiles qui brillait avec la même puissance que les anciens arbres de la mémoire, les mêmes qui avaient créé le premier univers.

En ingérant la graine, Kayla sentit un pouvoir électrisant, une sève visqueuse se déplacer dans ses veines, une métamorphose commença à l'intérieur de son corps, créant une armure bleue à l'extérieur. Elle était maintenant la graine et l'ambre était l'armure qui la protégeait,

Il s'envola dans ce ciel diffus que les dieux avaient grisonné. Il a volé comme Ika lui a appris quand elle lui a donné une de ses transcendances.

Les dieux qui étaient encore avec leurs bâtons pointant vers le ciel où une lumière sombre sortait ont essayé d'obstruer la lumière de ce soleil. Ils reculèrent en voyant Kayla voler près d' eux, défiant dans cette armure transparente.

La confusion des dieux ne fut qu'un instant, lorsqu'ils se ressaisirent ils se jetèrent contre la montagne ignorer Kayla pour la détruire.

Sur la montagne et à l'intérieur de la grotte de Sewa, les buma, les enseignants et les parents de Kayla, se sont unis pour protéger la montagne, ont activé leurs jardins intérieurs pour manifester leurs transcendances, pour créer une coquille pour protéger la montagne .

Les dieux ont été plus rapides à attaquer et ils ne pourront pas recouvrir la montagne d'ambre, cela leur a pris du temps.

Kayla savait qu'elle était la seule à pouvoir défendre la montagne et devait agir comme un bouclier.

Les dieux ont attaqué avec une force brutale, pointant leurs bâtons vers la montagne, mais Kayla a fait obstacle et l'énergie de la matière noire l'a frappée en armure complète et l'a poussée contre la montagne. Immédiatement , la force de l'impact a fracturé son armure et la couche protectrice qui recouvrait son corps a disparu.

Elle est tombée inconsciente dans le vide, mais a été frappée par Ika qui l'a emmenée sur le continent et il y a eu un dieu résultant de l'explosion alors que Kayla a repoussé l'attaque en utilisant toutes ses transcendances.

Le dieu survivant lui lança un regard noir. Kayla était faible, ne détenant plus le pouvoir de ses transcendances. Comme il le put, il se leva et s'appuya sur son bâton et envoya Ika pour aider Tuxe , elle ne put arriver à temps pour l'aider. Affaiblie, elle fait face à ce dieu qui semble être le dieu des dieux.

Le dieu n'avait plus d'énergie dans son bâton, alors il s'en servit pour frapper Kayla qui l'esquiva comme elle put, le dieu ne pouvait pas voler non plus car ses ailes étaient cassées et inutiles. Kayla se souvint de cette tombe qu'elle avait trouvée alors qu'elle se promenait avec le Hugaxa et qu'elle avait attachée à l'une des perles de son collier de graines. Il l'a arraché et l'a enfoncé dans la tige, tout à coup le pouvoir a traversé la tige et a ravivé son corps. La verge et elle ne faisaient qu'un et elle se précipita contre ce dieu et après quelques coups elle réussit à plonger la verge dans la poitrine du dieu. Un cri mourant de ce dieu résonna dans toute la montagne.

Ika est sortie précipitamment de la fissure et Kayla a sauté sur son dos et ils se sont précipités vers la fissure

Kayla se jeta de toutes ses forces contre l'un de ces dieux et réussit à le jeter du récif où il fut dévoré par d'autres dieux. Un autre l' a frappée par derrière.

Kayla reprit conscience lorsqu'elle sentit la vapeur chaude de ce dieu lui brûler le visage. Ses blessures internes sont guéries et cela n'était pas connu de la bête qui entend la jeter de force dans le vide. Quand le dieu va la jeter , Tuxe apparaît par derrière et serre le monstre dans ses bras, il lâche Kayla et affronte Tuxe.

Tous deux luttent au pied de cet abîme mortel qui dévore dieux et immortels.

Tuxe jette le dieu dans un abîme et scrute le vide, où une centaine de dieux animés par cette énergie ont commencé à se réveiller pour sortir de la fissure et tout détruire sur leur passage.

— Kayla monte le plus haut possible et du dessus de la fissure elle lancera l'ambre que je t'ai donné et ainsi nous pourrons fermer la fissure : c'est le seul moyen.

— Mais que va-t-il t'arriver, tu ne peux pas rester ici, il doit y avoir un autre moyen qui ne mette pas ta vie en danger.

— Avec les transcendances que le buma m'a données quand j'étais sur la montagne, je peux arrêter les dieux, en plus j'ai mes immortalités qui me protègent. Allez s'il vous plaît, sans plus perdre de temps, la vie de l'univers en dépend, sinon d'autres dieux viendront du fond des abysses ou de la mer des ténèbres et ils ne s'arrêteront pas.

Kayla a grimpé très haut et a demandé à Ika de s'arrêter à une certaine hauteur, puis ils ont plongé et quand elle a eu l'ouverture de la fissure en vue, elle a jeté l'ambre alors que Tuxe lui a dit en pensant que Tuxe était en sécurité.

Kayla le lança avec précision, l'ambre tomba et au contact de l'air la fissure éclata. L'explosion s'est envolée dans les cieux et a fait reculer Ika à temps pour ne pas être aspirée par l'impact et l'écho de cette explosion .

Kayla encore Abasourdie, elle demanda à Ika de survoler la fissure, alors que le nuage de poussière et de fumée se dissolvait. À l'endroit où se trouvait la fissure, il n'était plus vide, seulement de la terre rouge et jaune s'entassait sur une grande surface de terrain.

Une tristesse intense a submergé Kayla alors que Tuxe était introuvable. Ika a fait plusieurs fois le tour du terrain, mais ils n'ont vu aucun signe de lui.

Kayla fond en larmes en pensant que Tuxe s'est sacrifiée et qu'elle savait d'avance qu'elle ne pourrait pas sortir tant qu'elle n'aurait pas jeté l'ambre.

Enfin, fatiguées et le cœur ridé et se blâmant pour la mort de Tuxe, Kayla et Ika s'envolent vers la montagne.

Épilogue

Ils étaient tous sur la montagne se reposant dans les cabanes face au lac. Certains comme Shankia et Sagi lui-même se remettaient de leurs blessures.

— Le nouveau Suprême Alda a pacifié les terres et chacun vit un moment de paix. La reconstruction a été un succès, tout le monde a contribué à relever la ville d'Izmir et les villages -dit Sagi- le buma assis très confortablement dans l'un des sièges de la chambre de la cabane.

Puis les deux quittèrent la cabane et se dirigèrent silencieusement vers les sanctuaires.

Ils étaient tous réunis dans le sanctuaire au sommet de la montagne autour du vase funéraire où le corps sans vie de Tuxe ou ce qu'il en restait avait été déposé après, selon Kayla, qu'il avait fusionné avec ces dieux pour empêcher ces dieux . se lèvera et activera cette énergie qui détruira l'univers ancestral. Le buma n'était pas arrivé à temps pour sauver le suzerain, et maintenant ils se tenaient devant son urne funéraire.

La marine a eu le temps d'envoyer l'esprit de Tuxe encore en sommeil dans le corps sans vie qu'il a récupéré de ce tas de terre dans les forêts de Malva, là il vivrait pour toujours, et bien qu'il ne puisse pas retourner à la terre sous forme physique, son esprit serait les protéger.

Chacun fit une prière et un adieu mental, cet être qui inspira les courses et maintint l'univers en vie.

— L'esprit de Tuxe vivrait pour toujours à l'intérieur de la forêt intérieure du buma entouré d'une lumière éternelle, dit Sagi

Chacun déposait des offrandes dans l'ossuaire où reposait l'urne Tuxe : l'être qui a donné son immortalité pour sauver l'univers ancestral. Les tisserands ont placé des fleurs et de l'encens autour de l'urne et les maîtres de la route ont chanté cette chanson sans retour suivie par leurs apprentis.

Le buma aux yeux larmoyants murmura une prière et après un moment de silence ils redescendirent du sanctuaire vers les cabanes du lac pour se reposer. Ces événements étaient épuisants. et chacun méritait une pause.

Kayla se souvient des dernières paroles prononcées par Tuxe à ce dieu bestial sorti du fond de l'abîme avant qu'il ne l'étreigne pour l'empêcher de sortir.

— Ce n'est pas la lumière éternelle qui peut soutenir l'univers dans le vide, ni la lumière obsidienne qui vient du fond de l'abîme où naissent les dieux destructeurs. C'est l'union de las due fonts de énergie.

L'aube se lève sur la montagne après une nuit agitée qui a duré plus longtemps que ne l'avaient annoncé les dieux reptiliens, mais finalement le soleil a commencé à se lever à travers cette partie de la montagne pour illuminer la terre.

Kayla et Shankia sont sorties d'une des cabanes situées au bord du lac et ont de nouveau contemplé ce ciel bleu et ce soleil transparent.

— Mon cœur était un gitan, quelque chose de rebelle et d'inadapté, mais maintenant il est calme et il t'appartient, lui a dit Kayla.

Shankia l'embrassa tendrement.

— Mes soucis ne sont plus de trouver l'amour, maintenant vous et notre fils grandissez dans mon ventre.

Shankia était très heureuse et a étreint sa bien-aimée qui a finalement rendu cet amour silencieux.

— Je ne retournerai pas sur les terres, et le désir d'être un sama ne me poursuit plus, et cela ne veut pas dire que je me suis installé. Je sais juste qu'être ici sur la montagne apportera la paix à moi et à mon fils. Même les idées de la bête restent parmi les races et il faudra du temps pour les éradiquer ou les changer. Le Buma m'a demandé de devenir le prochain buma , par héritage c'est mon tour et je serais la première femme à occuper ce poste. Vous pouvez nous rendre visite ici, dit Kayla.

— C'est vrai, je voulais rester sur la montagne avec toi et mon fils et le voir grandir parmi les locaux, mais la mort de mon père aux mains de Yargos a détourné mon chemin et je dois prendre sa place pour le bien de toutes les races parce que je dois maintenir la paix et unir tout le monde : tant de ceux qui vivent à Mongi que ce ne sera plus, comme les races des neuf terres, dit et poursuivi Shankia.

— J'aurai bientôt un successeur pour me remplacer quand j'aurai calmé les eaux et fini avec les hostiles et ensuite je retournerai à la montagne, je n'aime pas être général ou régent. Je rêve d'une vie tranquille ici dans les montagnes.

— Et les guerriers Jaguar, que sont-ils devenus ? demanda Kayla .

— Ils sont retournés à Malva pour redevenir des esprits et y régner avec Tuxe, mais ils sont prêts à répondre à mon appel si nous sommes en danger.

Le règne d' Alda, le nouveau suzerain, fut assez long. Certains disent que c'est à partir de deux calendriers de pierre et qu'avec l'aide de l'ordre du jaguar, la paix est revenue dans les neuf terres. Les races ont pu retrouver leur splendeur et leur brillant passé. À Mongi, la tour et d'autres bâtiments construits par Yargos ont été démolis pour faire place à de nouveaux bâtiments. Les forêts autrefois sombres étaient illuminées par la lumière du soleil de Tulka qui dissipait les nuages gris alors que Kayla lançait l'ambre fermant la faille. Mongi était désormais une terre florissante. Les anciens habitants ont retrouvé leur forme humaine et leurs terres.

Avant que Sagi ne parte pour sa retraite éternelle en traversant le halo solaire qui enveloppe l'univers et le protège de sa destruction. Il a laissé ses souvenirs aux maîtres du chemin, qui étaient une compilation de ses impressions sur cet univers.

Le temple volait doucement vers le haut de la montagne. Le buma chevauchant Ika est allé dire au revoir à son grand ami Sagi, partenaire de cette aventure. Peut-être le rappellerait-elle bientôt , avait-elle le pressentiment, bien qu'elle ne soit pas allée au lac pour voir l'avenir des races et de l'ancien univers. Ce qui s'était passé dans la grotte l'avait marqué, mais ce serait la tâche du prochain buma. Peut-être que vous suivrez les conseils de votre ami pour leur rendre visite et prendre des vacances.

Le temple a pris de la hauteur et le buma a été ramené à la montagne.

À l'intérieur du temple, Avi se réfugie dans le tissu, toujours attristée par la séparation de Kayla et pense qu'elle ne la reverra peut-être plus jamais.

Sagi était à l'autel et veillait sur le feu, mais il tenait bon pour le moment, l'avenir de l'univers était ferme, donc tout semblait normal. Peut-être pas comme avant quand il est venu dans cette partie de la création remplie de ténèbres pour la restaurer. Il y avait de l'espoir pour les courses et peut-être qu'il n'aurait pas à revenir , il était proche d'atteindre l'évolution maximale de sa race et prendrait une autre forme, éthérée et moins corporelle et compliquée.

Ika a survolé toute l'étendue de la création comme elle l'aurait fait avec Navy, portant Kayla sur son dos qui a vérifié la santé de l'univers et mesuré la lumière éternelle avec l'harmoniser qu'il a donné à Tuxe pour mesurer la luminosité des étoiles et de leurs mondes. et si tout le monde était en ordre et à la même place et si rien ne les poussait dans le vide . Le voile avait résisté et maintenant il était mêlé à la matière noire, se tenant pour que ce vide ne l'attire pas. Il n'y avait pas de trous noirs pour dévorer les races et leurs mondes.

Marine depuis l'observatoire de sa chambre contemplait cette nuit calme et les étoiles scintillantes dans les profondeurs de l'espace et il n'y avait aucune anomalie.

Navy a vérifié la luminosité et elle était constante sans interruption, mais il avait le sentiment que quelque chose n'allait pas et il ne savait pas quoi. Tuxe a donné à Kayla le dernier tombeau créateur d'univers et si les dieux de la grotte naissaient ou s'incarnaient soudainement pour une raison quelconque , elle ne saurait pas comment défendre la montagne.

Navy détourna la tête de ces pensées troublantes et se concentra sur la petite victoire qu'ils avaient remportée en battant ces dieux dans la grotte.

Déjà dans son lit, Navy ouvrit une page du codex que Sagi lui avait donné sur ses impressions sur cette aventure.

La nuit était transparente, tout l'univers ancestral se reflétait dans toute l'étendue du lac qui restait serein, comme s'il s'agissait d'un miroir.

Kayla s'adossa à un cyprès à plusieurs travées contemplant cette image qui n'était pas une vision mais une réalité. Enfin , l' obscurité empêchait les alpinistes comme leurs ancêtres de voir toute la création depuis la montagne et pouvaient compter leurs étoiles et guider leur avenir en suivant leur empreinte. Maintenant, ils pouvaient voir cette merveille et ils n'avaient pas besoin d'avoir une transcendance comme les bumas pour le faire, il suffisait de regarder le ciel comme avant ou de regarder profondément quelque chose pour voir le cours de tout ce qui était créé là-haut dans le ciel . .

La constellation du jaguar, qui avait été couverte de brume et de nuages noirs denses, était maintenant claire et il crut même voir le char tiré par des tapirs dorés comme la peau de Tuxe qui entourait le soleil de Tulka et ses mondes. Certes, les prières des races remontaient vers le ciel profond, car elles avaient espoir et foi dans les Suprêmes et leur création, et Tuxe les protégeait du pouvoir des dieux enfouis dans cette fissure.

Kayla se leva et donna un petit coup de sifflet qui ne troubla pas la tranquillité de cette nuit. Ils dormaient tous profondément dans les cabanes situées autour du lac et elle était la seule à s'être réveillée en sursaut à minuit et à avoir quitté son lit confortable pour contempler cette image.

Ika a atterri doucement très près de Kayla, maintenant ses ailes étaient d'une couleur argentée plus profonde et elles ont fait du feu avec l'image du lac.

Kayla était déjà sur le dos d'Ika en un saut, et elle s'est envolée doucement autour du lac silencieux puis a pris son envol. Ils allaient faire partie de cette merveille et peut-être rattraper le flotteur de Tuxe.

L'auteur

Miguel Angel Puerta Cardona

écrivain de science-fiction et fantastique qui vit à Medellín -Colombie. Créateur de la série de fantaisie antique.

Des études en arts du spectacle et en dramaturgie, il écrit 3 pièces pour enfants, plusieurs pièces pour adultes et des pièces pour le théâtre de ruelI a une majeure en linguistique et en littérature et passe du temps à écrire.

Amoureux et lecteur compulsif de fantasy et de science-fiction depuis qu'il s'en souvient.

Suivez-moi sur Twitter en tant que @osodeanteojos.

Facebook comme Miguel Angel Puerta écrivain.

Instagram comme @puertacardona.

Milton Keynes UK
Ingram Content Group UK Ltd.
UKHW040657250823
427479UK00001B/51